JN045378

2025年7の月に起きること 2

The prophecies in the month of July 2025

2025–2035年の衝撃

神薙 慧 著
浅井 隆 監修

第二海援隊

プロローグ

恐れおののいている間は、まだ災いは本格的ではない。
勇敢に立ち向かうべき時は、いよいよ手の下しようがなくなった時だ

（ウィンストン・チャーチル）

天の声、地球の声に耳を傾け、自然からの警告を知ろう

「人類文明一万年」と言われる。しかし、それ以前の地球上を放浪して回った氷河期、そして石器をやっと使えるようになった原始時代も含めると、人類は三〇〇万年の間、この地上に暮らし続けて来た。そして、いまや巨大な科学文明を築いて、この狭い惑星上に八〇億人がひしめき合っている。

よく調べてみると、人類の歴史とは「天災」と「戦争」、そして「飢餓」の歴史であったことがわかる。さらに、いくら文明が発達しようと「巨大天災」の前には、私たちはまったくの非力である。私たちは勘違いしているが、宇宙や地球から見れば人類など、ウイルスやアメーバのようなものだ。

前著『2025年7の月に起きること』（第二海援隊刊）でも見た通り、私たちの祖先は人類絶滅の危機や文明消失の危機を何度も味わって来た。その記憶の一部が、神話や言い伝えとして残されている。

そして巨大天災は、国家の盛衰にも大きく関わって来た。近いところではポルトガルの例がある。戦国時代も末期の頃、そう、ちょうど織田信長の時代だ。大航海時代の先陣を切ってヨーロッパの一番西の小国・ポルトガルが世界中に船団を派遣し、その一部ははるかユーラシアの一番東の極東の島国までやって来た。そして、九州種子島に漂着したポルトガル船が日本に鉄砲を伝来させ、キリスト教も布教し、ヨーロッパ文明の光を極東の島国にもたらした。「カステラ」「コップ」「タバコ」「パン」など日本語にその文明の痕跡を残した。

しかしその後、ポルトガルは一体どこへ消えてしまったのか。歴史に再び大きく登場することは、一度もなかったのだ。なぜか。その本当の理由こそ、「天災」だったのだ。首都リスボンに突然、巨大地震と津波が襲いかかり、三日三晩もの間、街は燃え続けて灰と化した。それ以来、ポルトガルが歴史上に登場することはなかった。

それに匹敵するか、それ以上の巨大災害が二〇二五年七の月に日本とあなたに襲いかかるという。では、その時、本当に何が起こるのか、さらに、生き残るためにはどうすべきなのか。前著をはるかに上回る内容が、この第二弾で展開される。さあ、あなたもその巨大ドラマの中に飛び込もう。

＊　＊　＊

私たち日本人は、戦後の七五年あまりの間（正確に言うと戦後は八〇年だが、最初の五年間はまさに敗戦直後の大混乱期＝ドサクサだったのでここでは除く）、異常なほど安全で、平穏な毎日を送って来た。東京をはじめとする日本の大都市には近代的なビルが立ち並び、コンビニには二四時間おにぎりから雑貨まで欲しいものがそろっている。こうして私たちは、「平和ボケ」を通り越して「自力で生き抜く力を持ち合わせていない」という症状に陥ってしまっている。

ちょっと周囲を見渡してみれば、あなたはとんでもない事実に気付くはずだ。たとえば、あなたの家の周りを「チュン、チュン」と鳴きながら飛んでいる雀。朝起きてその鳴き声を聞いて「なんだか、平和だな」と思うなら、あなたはおマヌケだ。彼らに関して、とんだ勘違いをしている。

都会に住んでいる雀でも、野生は野生なのだ。一瞬気を抜けば天敵に襲われ、あっという間に命を落とすという、すさまじい弱肉強食の世界に生きているのだ。また嵐の日には、ズブ濡れで何時間も耐えねばならない。弱い者や運の悪い者は、どんどん死んで行くのだ。それが、自然界の冷厳な掟だ。彼らは、一瞬一瞬を命懸けで必死に生きている。

そして、よく考えてほしい。人間だけがその掟から逃れられるはずがないということを。八〇億人にものぼるホモ・サピエンスが我が物顔でのさばり、石油を掘り尽くし、汚染物質を地球中に撒き散らし、他の生き物を駆逐し食べ尽くそうとしている。これを天が、地球が、このまま放っておくはずがない。地球上を支配した恐竜も、巨大天災によってあっという間に亡んで行った。人類だけが宇宙のすさまじい摂理（掟）から逃れられるとは到底思えない。地球が、私たちに警告を発し始めている。「3・11」も「能登半島地震」もその一つだ。

二〇二五年七月に巨大津波がやって来るのかについては、正直言って誰にもわからないというのが本当のところだ。しかし、地球が人類の身勝手な行為に、怒りを感じ始めていることは事実だろう。だから、私たちは心を鎮めて天の声、地球の声に耳を傾けるようにしよう。前著でご紹介した、たつき諒先生とSHOGEN氏の警告は、そうした声の一つかもしれない。

二〇二四年三月吉日

神薙（かんなぎ）　慧（けい）

2025年7の月に起きること**2**――――目次

プロローグ

第一章　巨大津波であなたの運命は……

第二章 二一世紀は、やはりとんでもない時代だった

第三章　生き残るためのすべての情報

エピローグ

第一章　巨大津波であなたの運命は……

「不運ばんざい！
運の女神に見放され、この世の最低の境遇に落ちたなら、
後もう残るのは希望だけ。不安の種も何もない！」

（ウィリアム・シェイクスピア）

六〇メートルの巨大津波は、決して「絵空事」ではない!!

前著では、たつき諒先生、ＳＨＯＧＥＮ氏のエピソードを出発点として、私たちに襲いかかる天変地異の脅威といかにしてそれを生き抜くかについて見て来た。たつき先生の「予知夢」やＳＨＯＧＥＮ氏の「ブンジュ村での教え」の類は、一般的に言えば〝オカルト〟に属するものであり、その信憑性を疑う人も多いのではないだろうか。

しかし巨大な天変地異、特にたつき先生が夢で見た「六〇メートルの津波」というものは、実は十分現実に起こり得るものである。私たちがにわかに信じられないのは、大型台風のように数年に一度起きるようなものではなく、「これまで地球上に生きて来た無数の同胞の間でも、そのような巨大津波を経験した者が少ないから」というだけに過ぎないのだ。

巨大津波が起きる要因は、大きく三つ考えられる。一番目が「巨大地震」、二番目が「大規模な火山噴火」、そして三番目が「隕石の衝突」だ。地震が巨大津波の要因であることは、「3・11」を経験した私たち日本人にとってはもはや常識だろう。

　また、「火山噴火」も巨大津波の要因であることは明らかだ。紀元前一六二八年、エーゲ海のサントリーニ島で起きた海底火山の巨大爆発では、推定九〇メートルの津波が発生し、エーゲ海一帯に幾度もの大津波が襲来した。最近では、二〇二二年一月にトンガの海底火山が噴火した際、最初に発生した津波が高さ九〇メートルに達していたことが最新の研究で明らかになっている。さらに一八八三年には、インドネシアのジャワ島とスマトラ島の間で発生したクラカタウの噴火でも巨大津波が発生している。最大波高についての詳細は不明だが、高さ三五メートル弱の丘に逃げたヨーロッパ人が全員津波に呑まれて死亡した、という文献が残されている。私たちが思っているよりも、はるかに火山噴火の発生頻度は高いのだ。

　では、「隕石衝突」はどうだろうか。地震や火山噴火に比べれば、発生頻度ははるかに低いと想像されるかもしれないが、そうではない。実は隕石は、年間で数百―数万個ほど地球に降り注いでいる。数字の幅が広いのは、どの程度の大きさのものまで含めるのか、推定根拠を何に定めるか（たとえば宇宙から飛来した物質の量から推定する方法や、特定地域で飛来が観測された個数から推定する方法などがある）によってばらつきがあるためだが、いずれにせよ毎日のように飛んで来ているのは確かだ。しかし、飛来したその多くが直径数センチメートル程度の小さなもののためクレーターを作るほどの威力はなく、またそのほとんどが海上や人のいない場所に落ちるため、発見されていないことがほとんどだということだ。

では、人類が絶滅しかねないほどの大きさのものはどうかと言えば、確率的に考えればはるかに低くなる。かつて、恐竜を絶滅させたとされる隕石は直径一〇キロメートル超と言われるが、こうしたものが地球に衝突する確率は非常に低い。とはいえ、決して数千万年に一度というわけでもない。

近年、宇宙研究の進展によって、私たちにとってリスクとなる天体が数多く発見されている。NASA（米航空宇宙局）とIAWN（国際小惑星警報ネットワーク）では、「潜在的に危険」な小惑星が二三〇〇あることがわかっている。そのうち一五三個は直径一キロメートル以上のもので、これが地球に衝突すれば大惨事は間違いない。

こうした「衝突リスク」のある小惑星や隕石は、今も続々と発見されているのだ。二〇一七年には、チェコの天文学者チームが直径二〇〇―三〇〇メートル程度の隕石が地球に衝突するリスクがあると警告した他、同じ時期にNASAは「この惑星の生命を危険にさらす可能性のある一〇の新しい『潜在的に危険な』宇宙岩を発見した」と発表している。

そして、こうして次々発見されているということは、まだ人類が発見できていない危険な隕石が存在し得ることの証明でもある。実際、二〇一九年には直径一三〇メートルの小惑星が地球とニアミスしていたことが判明、天文学者もその事実に数日前まで気付かなかったという。こうして見てみれば、巨大津波の要因となるものが突如として発生する可能性は想像以上に高いことがわかるだろう。巨大津波は決して荒唐無稽なものではなく、かなり身近な危険として想定しておく必要があることがわかったのである。

実は前著で触れていないが、他にも多くの人が「二〇二五年七月」または「二〇二五年」に驚くべきことが起きることを指摘している。オカルト寄りの話になるが、ここで一つ紹介しておこう。

『奇跡のリンゴ』（幻冬舎刊）の著者・木村秋則氏もその一人である。木村氏は、青森でリンゴ栽培を中心に農業を営んでいたが、農薬で家族が健康を害したことから一念発起、無農薬、無肥料でのリンゴ栽培を模索した。リンゴ栽培は、農薬と肥料を相当量使用するのが常識である。リンゴの実を美味しく美しくするには栄養となる肥料が必要だし、そうすればおのずと害虫や病気も発生しやすいため、農薬も必要となるのだ。しかし木村氏は、それらを一切使用しないという「常識破り」に挑戦したのだ。当初は失敗続きで困難な日々を過ごしたというが、ついにはその常識を打ち破り、無農薬・無肥料のリンゴ栽培に成功したのである。その物語は、ＮＨＫ『プロフェッショナル 仕事の流儀』でも紹介され、大きな反響を呼んだ。

その木村氏は、実は自身が経験したという不可思議な体験でも有名である。臨死体験などのエピソードの他に、何度もＵＦＯに誘拐(ゆうかい)された経験を持つという。何度目かの誘拐の際、地球に起きる今後の出来事について宇宙人から教えてもらったというのだ。それが、「二〇二五年に驚くべきことが起きる」というものだ。木村氏によると、宇宙人は「緑色の星が地球に非常に接近しており、その影響で地球上に多くの災害が引き起こされる」という。木村氏が「宇宙人から教えてもらったこと」が隕石に起因する人類の危機である点も、また興味深い。前著ではネイティブ・アメリカンのホピ族も天体由来の危機の到来に言及していたが、もしかすると本当に隕石衝突による巨大津波が発生するのか、とすら思ってしまう。

この他にも、「アメリカ最強の予言者」と呼ばれるジョセフ・ティテル氏は、真の大災難時代は二〇二五年一〇月から始まると予言しており、二〇三二年までの間にポールシフト（自転軸や磁極の移動）、異常気象によりアメリカの東海岸や東アジアが水没する、としている。インドネシアからサハリン、ベーリング海までの広範な地域が影響を受けるとしており、台湾と韓国の大部分が海に沈むと予言している。

また、米政府の極秘プロジェクト「モントーク計画」では超能力を研究しているとされているが、この中でタイムトラベルを経験した元軍人が二〇二五年までに気候変動が起き海水位が上昇した結果、世界の地形が大変化を遂げているビジョンを見たという。アメリカの未来学者・超能力者のゴードン・マイケル・スキャリオン氏も「未来の世界地図」を予想しており、これと元軍人のビジョンが一致していることから信憑性が高いとされている。

さらに、ＦＢＩで超能力による捜査協力を行なってきた予言者シルビア・ブラウン氏も、二〇二五年から三〇年の間に大規模な津波が極東アジアやアメリカ東部を襲うと予言している。また、類似する予言として「ブルガリア最強の予言者」と呼ばれるババ・ヴァンガは、二〇二三年以降、大規模な変化が地球に訪れアジアの島国が水没すると予言している。

画家で神道研究家の岡本天明氏が、神からのお告げを自動筆記した書物『日月神示』では、敗戦を超える世の立て替えが二〇二〇年前後と予言されており、その大峠が二〇二五年頃にやって来ると警告している。「世界中がうなり、陸が海となるところ、海が陸になるところがある。大地震、火の雨降らせる大洗濯が起こる」という。

少々毛色が違うものでは、オーストリアの哲学者ルドルフ・シュタイナー氏が「二〇二五年に世界人口削減計画が日本から始まる」と予言している。氏によれば、地球の構造とはピラミッドのようなものであり、その四面体の頂点に位置するのが日本だと定義している。そして、世界の線は日本につながっているという（実際、日本には四枚の地殻プレートが交錯しており、その点でそのビジョンは現実に近い）。そしてまず、二〇二五年に日本の人口が三分の一までに減らされる人口削減計画が実行されるという。

これほどまでに、二〇二五年（を中心とした時期）に予言が集中しているというのは、なんとも不気味である。もし、人類の一部に私たちがまだ知らない第六感や予知能力が備わっているとすれば、この奇妙な予言の符合は決して無視すべきものではなく、むしろ最大限に注意すべきものではないだろうか。

ただ繰り返すが、私は決してオカルト信奉者でも何でもない。ここに列記したものはその信憑性を確認することが困難なものばかりであり、一般的には「オカルト」で片付けるべきものである。

しかし「そんなのウソっぱち」「信じる価値もない」と、そうした情報に蓋（ふた）をして知らない振りをするのも賢明ではない。かつて未来をピタリと言い当てた予言者たちもその予言を口にした時には、人々から「そんな馬鹿な」「当たるはずがない」と否定され、時に手ひどく罵（ののし）られたはずだ。だが、実際コトが起き多くの人が無慈悲にもその猛威に巻き込まれるや、心なく予言者を罵った人々ですら口々に「まさかこんなことが」「わかっていれば助かったかも」などと言い放ったのだ。

そして、本当に賢明な人たちは知っていた。「あり得ない」などということはないと。十分あり得たのだと。そして、こう思っただろう。「予言者が現れ、警鐘も鳴らしていたではないか」と。「なぜ、起き得る可能性に思いを致さなかったか」と。「危機を叫ぶ彼の言葉を軽んじ、彼を蔑み罵ったのは誰か」と。

少なくとも、この本を手にした読者の皆さんにはそうはなってほしくない。危機を軽んじて日常に慢心し、そして有事に至ってなす術なくすべてを失うのではなく、来たるべき危機に備え、有事にはでき得る限りのあらゆる手立てを講じて生き抜く人となってほしい。

では、実際にコトに備えるにあたって、どんな世界が到来し、どういう出来事に見舞われるのだろうか。備えるにはまずは「何が起きるか」を知ることが重要だが、起き得ることがあまりにも甚大なものであるから、皆さんもすぐには想像しがたいと思う。そこでここからは、私が想像し得る限りでどんな事態がやって来るのかを小説にしてみたい。

前著『２０２５年７の月に起きること』（第二海援隊刊）の第二章では、隕石衝突による巨大津波のシミュレーションを行なったが、ここからはそのシミュレーションをベースとして実際にこの事実に遭遇した場合、どんな経験を迫られるのか、そして日本がどのような未来を迎えるのか、四人の人間のそれぞれの視点を織り交ぜて見てみる。これを一つのストーリーとして皆さんにも想像を膨らませていただき来たるべき事態にいかに備え、どんな覚悟で臨むべきなのかを考えていただけたら幸いだ。

近未来小説：巨大津波によって、あなたと日本はどうなるか⁉

初めに、四人の登場人物を簡単に紹介しよう。

〈登場人物〉
■川端（かわばた）翔太（しょうた）――東京在住の新聞記者。三〇代。理系の大学を卒業後、東京の大手新聞社に就職、社会部から経済部に移った。趣味はキャンプ。
■小笠原（おがさわら）百合（ゆり）――静岡在住の介護福祉士で元看護士。六〇代。実家は山梨、守護武田氏の流れを汲む名家の生まれ。

■山田直樹（やまだなおき）――大阪在住の会社経営。五〇代。四代続く家業を受け継ぎ、手堅く業績を伸ばしている。頑固で融通効かないところあり。
■山田秀樹（やまだひでき）――直樹の弟。三〇代。徳島在住。家業から離れ、ＩＴ起業を成功させ新興資産家に。自由で柔軟、モノに執着しないミニマリスト気質。

話はコトが起きる一年前の二〇二四年七月から始まり、巨大津波の到来を経て一〇年後の未来におよぶ。いかに日本が変わり、そこに生きる人々がどういう世界を生きるのか。ぜひ、ご自身がその中でどう生きるかを想像しながら読み進めていただきたい。

■二〇二四年七月（一年前）

今年もまた、「暑過ぎる」夏がやって来た。毎年のように異常気象が叫ばれるようになって久しいが、この夏も猛暑記録の更新が確実視されるほどの酷暑（こくしょ）で、すでに熱中症の救急搬送事案は昨年同期を一〇％も上回っている。

「今夏も猛暑の影響で、企業各社の業績は大きく明暗がわかれるだろう」――大手新聞社で経済部の記者をつとめる川端翔太は、去年も書いたような文章を何度も書きかけては消していた。先ほどインタビューしたシンクタンクの気鋭のアナリストの話は、それ自体とても面白かったのだが、その後の移動の暑さにすっかりやられてまったく集中できていない。「あぁああ！　休憩だ！」ドリンクコーナーで冷えた炭酸飲料を飲みながら、川端は気分転換にスマホでSNSを見始めた。最近は、例の〝あの話題〟がよく流れて来る。

「＃（ハッシュタグ）二〇二五年七月」――二〇二五年七月に、何かとんでもないことが起きるというのがもっぱらの噂だ。巨大地震だという説や、隕石衝突だという説、いずれにしても一〇〇メートル級の巨大津波が来るという説など諸説入り乱れているのだが、大してSNSをやらない川端も連日の賑わいですっかり「〝二〇二五年七月〟通」になっていた。もちろん、川端は根本的にこの手合いを信じていない。「ノストラダムスの大予言」や「マヤ暦の予言」など、似たような話を昔からいくつも聞いて来た。地球滅亡やら、人類滅亡やら、文明消失やらといった物騒な話で、子供の頃はそれなりに恐ろしかったが、どれも当たらなかったことですっかり〝耐性〟が付いたのだ。しかも、この手合いは単に脅かすだけでなく、大体が「助かりたければ宇宙に祈れ」やら、「壺を買え」やら、下衆な便乗商法の類が流行る。なんとも、人間のあさましさを見せ付けられた気分になるのが微妙に腹立たしい。川端はページを繰りながら（こんな話、本気で信じるのはよほどのバカか暇人くらいだろうに）などと考えていた。

ただ、そうは言っても何となく気にはなる。つらつらと流れて来るコメントを眺めると、今日の話題の多くは「自分の近くに逃げ場はあるのか」というものだった。川端は、自分の近くに避難場所はあるのか、ぼんやり考えだした。

（まあ、仮に六〇メートル級の津波が日本に来たとして、東京は湾内だから二〇—三〇メートルくらいか。一五階あるこの本社ビルだと、マイナス海抜なことを含めても一一階から上だと助かる計算だな。この前取材したD社はビルの八階、ただあそこは台地の上だからあそこはたぶん助かるかも。そもそも、ビルが倒れないのが大前提か）――まったくの荒唐無稽なオカルト話にも、いちおうシミュレーションを立ててみるところが川端らしさか。理系出身で割と理詰めで考えるのは苦ではないし、ちょうどいい気晴らしにもなった。川端は、コップの残りを飲み干して自席に戻った。

＊　＊　＊

「あなたも一度、鳴磨先生のワークショップに来るといいわよ！　次の月初の日曜日なんかどう⁉」――小笠原百合は、仕事先で知り合った年の近い介護士の女性の誘いに、内心うんざりしていた。彼女は最近流行りの「二〇二五年七月系スピリチュアル」にどっぷりと心酔していて、やれ真実に目覚めるだの、新しい時代が来るだの、生き残れるようになれるだの、まったく理屈の通じない話で小笠原を勧誘して来るのだ。「たぶんこの人は、『二〇二五年七月』がなければ別のスピリチュアルにのめり込むんだろうな」などと思いつつ、小笠原は必死で断る方便を探していた。「あー、たぶん月初は経理の手伝いがあるから厳しいかな～」「あら、大丈夫よ。夕方からだし、みんなで夕食会もするから。

みんないい人たちなんだから遠慮なんて不要よぉ」――そうではない。行きたくないことに、なぜ気付かないのだ？　小笠原はイライラしながら、つい彼女の腕でカシャカシャ音を立てる何本もの腕輪に注目してしまった。何か、前より数が増えている気がする……「あぁ、これ〜？　鳴磨先生が特別に気を練って仕上げてくれた守護石が付いてるの〜。これ付けてから、すごい体が調子いいのよ〜。ちょっとお高いけど、健康はお金で買えないし、運気が上がるからね。そうだ、私、今度鳴磨先生にあなた用のも用意してもらえるか、聞いてあげるわ」――これはあれだ。完全に〝カモ〟になっているやつだ。しかも、鳴磨先生とやらの荒稼ぎの片棒まで担いでいる。こうなったら手に負えない。

　小笠原は仕事の都合でこの人と縁を切れないことにイラついていた。しかし、こうなったらしょうがない。小笠原は今後の仕事上の人間関係に支障が出るのを承知で、バッサリ行くことにした。「私ね、〝そういう系〟は一切やらないんだ。ごめんね」「え？　何〝そういう系〟って」「ん？　いわゆる〝スピリチュアル系〟ってやつ？　私、妹がいたんだけど、妹がそういうのにハマって家のお金、使い果たしちゃってね。一家離散状態になったの。だから、そういうのはやらないって決めてるの」「は⁉　何、ちょっと失礼ね‼　鳴磨先生はそんなんじゃないわよ！　そんな詐欺師風情と一緒にしないで‼」――もう小笠原は同じ空気を吸うのも嫌になっていた。たぶん、その鳴磨先生とやらは来年の今頃、何も起きなければどこかに高跳びしていることだろう。口角泡を飛ばして声を荒らげる彼女の顔に、「先生は詐欺師じゃないもん！」と家族に怒鳴り散らしていた妹の顔が重なった。

　もう名前も思い出したくない、胡散臭い雅名を名乗る先生に心酔して、挙句すべて吸い取られて自殺未遂までした妹。たぶん目の前のこの人は、妹のようになるまで止まらない。小笠原は、観念したように言った。「ううん、鳴磨先生はそういうのとは違うんだと思うよ。でも、私は妹が詐欺師にだまされてから、似てると思う話には関わらないって決めてるの。もし、それが原因でいい先生に出会えず、運気も下がって病気になって死ぬなら、私はそういう運命なんだと思うことにしたの。私のこと考えて、誘ってくれてありがとう。でもせっかくだけど、ごめんね」。

小笠原は、たぶん今、世の中ではこんなやり取りがごまんと繰り広げられているのだろうと思った。詐欺師のような連中が、「予言」にかこつけて人の心に付け込み、姑息に小金をせしめて行く。「二〇二五年七月」なんて、人をだます口実にしか過ぎないのに、何で世間はこうも騒ぎ立てるのか。なんとも嫌な時代だと、小笠原は暗い気持ちになった。

＊　＊　＊

山田直樹は、冷房の効いた部屋で役員四名を前に格闘していた。「ネットも活用して、新しい商圏を開拓しましょうという話の、何がまずいんや?」「わからへんのでっか、若。わが社は代々、ここ大阪に根を下ろして堅実に商いして来た老舗でっせ。長く贔屓にしてくれはるお客さんのために仕事するんです。ゼニカネ欲しさに商いの手を広げるのは、うちのやり方ではありまへん」「そうでっせ。きっちりした仕事をすれば、お客さんは後から付いて来るものですわ。それをわざわざ自分から出向いて、仕事下さいというのでは、逆にうちの看板の値打ちが下がりますわ」「大体、仕事になるかもわからんところに出向くなんて、そんな博打みたいな話、カネをドブに捨てるようなもんでっせ」――先々代の祖父の頃から勤め上げている三人の役員は、昭和時代で時が止まったかのような理屈で直樹の提案に反論して来た。父の後を継いで一〇年、直樹は典型的な老舗の後継ぎの苦悩を味わい続けて来た。父からは「お前の好きなようにやってみい」と言われたものの、何か新しいことに挑戦しようとすると、長年籍を置く役員や従業員からは「先代はそんな無理はせんかった」「昔からのやり方を守るのがウチの流儀」「新しいことはやる必要なんかありまへん」と、常に反対され、押さえ付けられて来た。

結局のところ、タガをはめられて前例踏襲を繰り返したのがこの一〇年だった。古いお客さんとそこからの紹介のおかげでなんとかなっているが、実際のところ完全に時流から取り残され、ジリ貧の状態である。このまま行けば自分の代で終わりかもしれないと、直樹は焦りを募らせていた。

不毛な役員会議から戻ると、狙いすましたかのように弟の山田秀樹から電話が入った。直樹は少々イラつきながら電話に出た。「何か用か」「うゎ、機嫌悪いなぁ。またご家老たちと揉めましたか」「お前には関係ない。で、なんだ」「あー、たぶん無理やと思うから、やっぱしええわ」「なんやそれ。はよ言えや」「んー、取引先の社長さんからな、今企画してる事業で兄貴のところとコラボできんかって」「あの、札幌の元気のいいおっちゃんか」「おっちゃんて、兄貴もいい年やろて。でな、兄貴んとこのルート活用して外人向けに日本の高級土産品のネット通販やりたいんやて。で、手始めに北海道の観光地に実店舗作るって」。秀樹は大学在学中、親の反対を振り切って数年間の貧乏旅行に出た。そしてそこで出会った気の合う仲間と、スマホアプリを作ったりネット上の新しいビジネスの仕組みを作る仕事を興し、大学を中退した。と言っても、会社を興して社員を抱えているのではない。なかば個人事業主のように、ネット上でつながった人たちと仕事を融通し合っているのだ。

初めは誰もが「じき失敗して、戻って来るわ」と言っていたが、時流とニーズを上手くつかんだ秀樹の仕事はどんどん増え、いまや社員数百人レベルの準大手IT企業にも一〇億単位のプロジェクトを回すほどになっている。親や周囲は秀樹も直樹と共に家業を継ぐことを期待し、そのためにわざわざ大金を払って塾や習い事をさせ、大学まで行かせた。しかし秀樹はそんなしがらみを軽々と越え、親が投下した教育投資を自分のやりたいことに最大限活用して、自分が好きなように自由に生きている。直樹は、そういう要領のいい秀樹に嫉妬まじりのイラ立ちをおぼえていた。

「それは、それなりに儲かる話なんやろな？」――直樹は毒を含んだ返事を返し、言ったそばから自己嫌悪に陥った。「兄キィ、そんなんやる前からわかったら誰でもやるわ。大体、そんな商売、なんもおもろないやん」――そんなことはわかっている。直樹はさらにイラ立った。秀樹が言う「ご家老」たちの首が、縦に動くような話なのかを聞いているんだ！　ため息まじりに直樹は返した。「あんな秀樹、ウチの商売はそんなゆるいもんちゃうぞ。なんもわからん博打みたいのにうちの大事なリソースは割かれへん」「なんや。兄貴もご家老みたいな物言いやな。中身聞いたけど、俺は正直、商機は十分あると思とるで。外人、みんな日本のいいものにカネ使いたいし。北海道なんて、今金持ち外人、ぎょうさん来よるから、ええもん揃えてちゃんと説明すれば流行るで。嵩張るもんでも割れ物でも、通販で別送なら問題ない。在庫もいらん。売り切れ御免の物でも、高級品なら逆に箔が付いて入荷待ちしてくれるやろ？」まくし立てる秀樹に反論できず、直樹は苦し紛れでこう言った。「わかった、わかった。一旦預かるわ。ちょっと時間くれ」「んー、そうか。でもあんまり待たれへんと思うよ。あの人、思い立ったらすぐ行動の人やしね」「あー、わかった」。

直樹は歯切れの悪い返事を返した。秀樹も弟なりに、家業のことを気にかけてくれているのはわかる。ただ秀樹のやり方では、会社は絶対に動かない。直樹はせっかくのありがたい話をもらったはずなのに、煩わしい宿題を出されたように思えて暗澹たる気分になった。

「ところでな、こっちが本題なんやけど」秀樹が急に真剣な雰囲気で話し始めた。「なんか、まだあるのか」「いや、老舗企業の社長様は危機管理とか事業継続性にご興味あるんかなって」「なんや、回りくどいな」「ほら、最近『二〇二五年七月にえらいことが起きる』ってやっとるやん？」「おまえ、そんなん信じてるんか？」「いやいやいや、そやあらへん。ただな、『もしそうなったら』は考えとかんといかんかと思うてな」――秀樹の言うことには一理ある。別に例のオカルト話でなくとも日本は災害大国である。大地震が来る可能性は十分にあるし、大阪も津波が来ればひとたまりもないという話くらいは知っている。

秀樹はさらっと続けた。「俺、今徳島やん？　なんか東北とか北海道に行こうか思うてな」「なんでや」「いやな、海沿いは津波が怖いし、山はがけ崩れがあるやろ。それにもし南からでっかい津波来たら、西日本はあかんかなって」「そうか。引っ越すんか」「まだ決めとらん。ちゅうか、兄貴んとこはどうすんの？　大津波来たらあかんやろ、そこ」「そんなん、来てから考えるわ」「それ、あかんやろ！　老舗で地元大事にしたいんはわかるけど、会社ごと津波に呑まれたら終わりやで？　あんな兄貴、これだけは言うとく。ご家老が何言うか知らん。けど、話は会社の継続と社員の命に関わることや。逆らう奴はクビじゃぁ！くらい言って強引にでも対策やるべきや」。

いつにない剣幕の弟に気圧されて、またもや直樹は「お、おう、そうか。それもそうやな。真剣に考えてみるわ」と言い、電話を切った。そうは言ったものの、果たしてカネだけかかって効果が見込めないような、会社の避難計画の話に役員たちが賛同するのか。しかも、今世間は例の噂話で持ち切りだ。今災害対策なぞ切り出せば、いかにもそれを信じているかのような話になる。タイミングが悪過ぎる。直樹は、さらに積み上がった宿題にため息をつきながら、独り言ちた──「さて……どうしたものか」。

＊　＊　＊

こうしてそれぞれの事情や悩み、様々な思いを巻き込みながらも、今まで通りに日常は過ぎて行った。しかし、運命の時は刻々と迫っていた。

■二〇二五年七月（その時）

七月に入り、果たしてその日。言われていた〝運命のトキ〟は、やって来なかった。「たつき諒」が予知夢を見た「二〇二五年七月五日」に、何も起こらなかったのだ。ＳＮＳでもその日のキーワードは「予知夢はウソだった」「何も起こらなかった」という中傷まじりのコメントであふれかえり、ちょっとした社会現象になった。妄信していた人々は間接的に社会から大バッシングを受けた格好となり、途方に暮れ、中には自殺を試みる者も現れた。

　しかし、世間とは無常である。死人まで出した社会現象は、わずか一週間ほどで人々から忘れ去られた。日々膨大な情報が駆け巡る現代、「人類の危機」ですらその程度の話なのだ。

　だが、「二〇二五年七月の危機」は、人々がそうして油断しきったところにやって来た。七月二二日早朝、フィリピン東方沖約一五〇〇キロメートルに突如隕石が落下したのだ。衝突によってすさまじい爆発が生じ、人体には感じるほどではなかったが衝撃波が地震計には記録された。だが、ほとんどの人々はこの時、危機に気付かなかった。

　それから数分後、気象庁は恐るべき情報を入手する。「フィリピン沖で隕石衝突による巨大津波発生。日本への到達は最短で四時間後。波高は高いところで九〇メートル以上、太平洋岸の主要都市では五〇―六〇メートル程度の津波が到達と予測」――専門家たちは皆、瞬時にして青ざめ、中には心臓を押さえてうずくまったり手足の震えが止まらなくなる者もいた。この情報は即座に官邸にもたらされ、政権中枢で共有されるやこちらもパニックに陥った。「激甚災害」の指定は確実だが、それどころでは到底すむはずもない。想定をはるかに超えるこの事態に、政府は果たして何の対処ができるのか。限られた時間内での、すさまじいせめぎ合いが始まった。

まず、この事実を国民に知らせるのか。知らせたとして、どうやって避難・誘導を行なうのか。沖縄の島しょ部は、ほぼ壊滅を免れないだろう。九州も太平洋側全域の低地は壊滅だ。四国も高知市は直撃だし、大阪、名古屋、横浜も極めて危険だ。数百万の人口を抱える大都市圏に、わずか数時間での避難指示を出せばどうなるか。「3・11」では整然とした対応を見せた日本人だが、数十万から数百万人単位が命の危険にさらされ、避難を迫られればパニックは必至だ。

さらに恐ろしいのは、「フクシマの再来」だ。西日本にも海岸沿いにいくつか原発がある。これが浸水し、停電すれば最悪の事態が待っている。「3・11」以降、様々な対策を施して来てはいるため最悪を回避する可能性も決して低くはないが、仮に原発が急場をしのげたとしてもあくまで「最悪」でないというだけだ。主要な港湾が津波で使えなくなれば、それだけで日本の経済、ひいては文明的な生活は崩壊を免れない。

　そもそもの話として、官邸や永田町周辺にも巨大津波がやって来る危険がある。政治家も官僚も、自分たちの命が脅かされているのだ。一部の人間は、自分たちの特権によっていち早く得た情報を、職務遂行よりも自分の命を守るために利用するかのような話をし始めた。

　かくして、終わりの見えない喧々囂々の大激論が始まったが、この議論に〝一言〟で結論を下したのは、就任からわずか数ヵ月の石波首相だった。常に冷静沈着、時に冷淡・冷然とも言われた彼だが、この時ばかりはその胆力と語り口が大いにものを言った。石波首相がテーブルを「ドンッ」と拳で叩くと、閣僚たちは見たことのない首相の怒気にいっせいにギョッとし、視線を向けた。

　鬼の形相の首相が周囲を睨み付けると、いつもよりもドスのきいた、しかし冷静でゆっくりとした口調でこう語り始めた。「皆さんね、今は一刻を争ってるんですよ。一秒遅れればより多くの国民の命がリスクにさらされて行くんです。皆さんもうわかってると思うが、残念ながら国民全員が助かるなんてことはないでしょう。しかし、我々は最善を尽くすしかない。となれば、やることは決まっています。まずは国民に事実を知らせる。可能な限り、避難してもらう。何もかも投げ打って命を守れと行動を呼びかけるしかないんです。もちろん、我々も国民と同じ、避難すべき立場です。東京もじきに巨大津波に呑まれるでしょう。ただ、我々には国民に対して果たすべき責務がある。やらずに逃げればどうなるか。たとえ生き残れたとしても、我々に待つのは生き地獄だ。意味はわかりますね？　むろん、我々も避難はします。だが、まずはやることをやってからです」。

　かくして方針は固まった。石波首相と閣僚たちは、矢継ぎ早に指示を飛ばし始めた。災害緊急事態の布告、全マスコミへの情報開示、地方自治体への緊急避難指示、緊急の記者会見、各省庁への所掌する分野での対策指示――目先のことだけでも膨大な指示が飛び交い、官邸、霞が関はこれから訪れる恐ろしい事態にはおよそ似つかわしくない、ある種の高揚感に包まれ始めた。

＊　　＊　　＊

川端は宿直部屋で仮眠を取っていたが、今日は不思議と早く目覚めてしまった。今時は、新聞社でも宿直はまれである。昨今の部数激減でリストラが進み、どの社も宿直は縮小・廃止していた。この日、たまたま当番で会社に泊まっていた川端は、自社の旧態依然の制度に「今時でない」と不満をこぼしていた。しかしこの日だけはそれが奏功して、川端は政府と気象庁の第一報をいち早く知ることとなった。

五時半過ぎ、気象庁と内閣府から重大な情報が入る。川端は胸騒ぎがした。（内閣府と気象庁から？　一体何だ？）そして、受け取ったその情報を見てがく然とする。と同時に、なぜか不思議と「いよいよ来るものが来たのか」と、自分の中の冷めた部分も感じていた。

「日本全土に六〇－九〇メートル級の大津波？　そんなバカな話があるか！」

――ダミ声のデスクにいわれのない怒声を浴びせられ、いつもなら言い返すところ、川端はあまりに強烈過ぎる話にむしろ冷静になり切っていた。「それでデスク、原稿はこれでいいですか。Ｗｅｂページの緊急速報は一秒でも早い方がいいかと」「わかっとるわ！　すぐに担当に回せ！」「取材はどうしますか。災害対策本部の情報だと、今からこの辺取材しても、たぶん二－三時間後には我々が被災者になりますね」「バカヤロー！　それでも行くんだよ、取材！　みんな逃げまどってパニックになってるところを押さえて来るんだよ。でもいいか？　情報残さずに犬死するなよ。ヤバくなったら、高い建物に逃げろ。最悪でも、一日経てば波も治まる。避難は、それからだ」

川端は、デスクの言うあまりにずさんで無計画な「取材」の指示に辟易していたが、よく考えてみればもう間もなくこの界隈も避難者で押し合いへし合いの大パニックになることは目に見えている。そうなれば、到底逃げ切れるものではない。割り切った川端は、「じゃあ、さっそく行ってきます。デスクも気を付けて」と言い残して部屋を後にした。

＊　＊　＊

小笠原は、地元の消防車のサイレンとがなり声の爆音で叩き起こされた。「津波が来ます！　早く逃げて！　この辺は危ないです！」――大地震が来たわけでもないのに、津波が来るとは何事か。即座にはわからなかったが、徐々に目が覚めてあまりに外が騒がしいことに異変を感じると、急いでラジオを付けた。ちょうどＮＨＫが緊急の首相会見を報じていた。「本日早朝、フィリピン沖で巨大隕石が衝突し、大規模な津波が発生しました。これによって日本沿岸部には早ければ三時間後に津波が到達する危険があります。想定される津波は三〇メートルから九〇メートルとにかく巨大です。沿岸部にお住まいの方は、即座に命を守る行動を取って下さい」

小笠原が住むのは、沼津市の狩野川沿いの一軒家だ。数年前に先立った主人の実家で、姑と主人を看取った家である。港へも車で二〇分程度の低地であり、二〇メートル級の津波でも来ようものなら、ひとたまりもないだろう。小笠原は、慌てて持てるだけの貴重品と防災袋を抱えて家を出ようとして、車のカギを取りに戻った（こういう時には、車は使わない方がいいのか？）。しかし、とにかく助かりたい一心だった小笠原は、東側の高地方面に車を動かした。だが、それからほどなくして自分の判断を後悔する。皆一様に車で避難しているため、あちこちで大渋滞が発生していたのだ。方々からクラクションや怒声が聞こえ、中にはパニック状態になっている女性もいる。（これはもうダメだ！）小笠原は慌てて引き返すと、自宅からほど近い標高二〇〇メートルちょっとの、小高い山を歩いて目指すことにした。

日頃の運動不足を呪いながら、息も絶え絶えになんとか山頂近くの公園に着いた頃には、家を出てから三時間強が経っていた。ラジオからは、この世の終わりのような大津波が沖縄に到来し、それを伝える現地からの緊迫したマスコミの実況がほどなくして途絶えたこと、またすでに九州地方にも津波が到達して都市が次々と壊滅し、一部の町からの通信が途絶えたことなどが次々と報道されていた。もう間もなく、大阪、名古屋、そしてここ沼津にも巨大な津波が到達する……公園には数十人が不安な面持ちでその時を待っていた。

＊　＊　＊

隕石衝突から約三時間後の七時一〇分、巨大津波がついに日本列島の一番南西側に襲いかかった。最初の被災地は、沖縄だった。那覇空港、那覇市内は津波で完全に呑み込まれ、奔流（ほんりゅう）は首里城の近くにまで到達した。沖縄では、実は第一波の時点で数千人が命を落としたのだが、大半の通信インフラが途絶したため被害の全容がわかったのは大分経ってからのことだった。

海沿いの主要都市は、南から順に津波に呑まれて行った。鹿児島市、宮崎市、高知市は六〇―九〇メートル級の津波が直撃した。大分市、別府市、徳島市、和歌山市、大阪市は外海ではないものの、津波は回り込んで甚大な被害を出した。大阪では大阪城をはるかに超え、生駒山地のふもと近くまで津波が到達した。さらに東海地域に達した津波は豊橋、浜松、磐田、静岡などの沿岸都市を襲い、さらに伊勢湾に入り込んで四日市、半田、名古屋を壊滅させた。

関東にまで到達した津波は、その勢いがかなり減衰したものの、それでも三〇メートル級の猛烈な勢いを残していた。小田原、平塚、鎌倉は壊滅、大きな河川沿いの海老名も甚大な被害を出した。そしてついに、津波は東京湾内にも進入した。君津、木更津、袖ケ浦、市原、千葉の各市の沿岸部は壊滅、玉川流域沿いの大田区や川崎市、荒川や江戸川沿いの浦安、船橋、市川、江戸川区、江東区、墨田区、葛飾区、北区、足立区、さらに埼玉県の川口、三郷にまで津波の猛威が到達した。東京都心も、品川区や港区、中央区の海抜の低いところは壊滅し、地下鉄は浸水で使用不能となり、電力は完全に途絶した。

東日本から北日本の太平洋岸も壊滅した。利根川流域の各市、水戸、日立が呑み込まれ、「3・11」で甚大な津波被害を受けた福島県、宮城県の沿岸部も再び水に沈んだ。そして、最終的に被害は北海道の南岸にまで届いた。函館、苫小牧、釧路といった道南・道東の沿岸都市が津波の大打撃を受けたのである。

政府の「緊急事態宣言」の発令、自治体による避難勧告によって、多くの人たちは一目散（いちもくさん）に避難を開始し、辛うじて命を守ることができた。しかし、津波の甚大被害が想定される一部の大都市では、恐れていた最悪の事態が起きていた。数十万―百万単位の人々が一斉に避難を始めたため、交通インフラが軒並みパンクし、機能不全に陥ったのだ。逃げ場を失い各所でパニックに陥る人々や、無駄なあがきとわかっていながら近所のビルの屋上に逃げ込んだ人々は、やがて到来した津波に呑まれて行った。せっかくビルに避難しても、そのビルごと呑み込まれたり、ビルが倒壊して呑み込まれる人々も多くいた。全国各所で、このような地獄絵図が繰り広げられ始めていた。

＊　　＊　　＊

川端は、パニック映画さながらのすさまじい避難風景を写真や動画に収めつつ、取材の途中では避難できそうな高層ビルを探したが、どこもすさまじい人数が殺到しており、押し合いへし合いや取っ組み合いの修羅場と化していた。しかし、たまたま運よく入口に人気の少ない一五階建ての高層オフィスビルを見付け、なんとか入ることができた。そこには、逃げ遅れた人たちがざっと一〇〇〇人以上はいただろうか。よそのビルに比べればまだマシなのだろうが、そこもそれなりの修羅場であった。怒り散らす高齢の男性、金切り声を上げているる中年女性、パニックに陥り真っ青になって震える若い男性、泣き叫ぶ子供たち……。

　そして、いよいよ津波の予測到達時間が迫ると、周囲は異様な気配に満ち始めた。どこからともなくガレキとホコリ臭さ、油臭さ、潮臭さなどが入り交じったような、嗅いだことのない臭いがして来たのだ。川端は（そろそろ来たな）と感じた。窓の外を見ると、遠くの路地をどす黒い水が素早く満たし始めるのが確認できた。

「……来た！　津波が来たぞ!!」誰かが大声を上げると、辺りの騒ぎは一層大きくなった。そしてほどなくして、本当の地獄が始まった。二五メートルの津波がビルの周囲に迫って来たのだ。「バチバチバチッ」と火花が散る音が聞こえ、ビルは完全に電力を失った。ガレキ交じりの濁流が下層階のすべての窓を破り、ビル内にすさまじい音を立てて流れ込んで来た。「グオォォー」とも「グゥゥーン」とも言うような、冥府（めいふ）からの呼び声のような腹に響く不気味な重低音が鳴り、家や車などあらゆるものが水面でぶつかり合い、ギシギシ、ゴリゴリ、ギーギーといった悪魔の手先の鳴き声のような音がそこに交じって来る。

人々はいよいよパニックに陥り、なるべく高いところに行こうと非常階段は押し合いへし合いとなって、けが人が続出した。ただ幸いなことに、ビルは倒壊を免れていた。川端は聞いたことのない音、嗅いだことのない臭い、目にしたこともない光景にただ茫然とし、気付けば（なんとかこのビルが呑み込まれないように……持ちこたえるように……）と祈り続けていた。

＊　＊　＊

およそこの世のものとは思えない光景は、沼津の小笠原の眼前にも繰り広げられていた。圧倒的な津波が市内全域を一気に呑み込むと、非難した小山の中腹近くにまで海面が上がってきた。もしかすると、このまま丘ごと呑み込まれるかもしれない――避難した人々は口々に「うぉぁぁぁあああ！」「いやぁー！あぁあぁぁぁー」など、言葉にならない声を上げて慄（おのの）いた。小山の周りがぐるりと海になると、小笠原はまるで閻魔大王の前に連れ出されたかのような気分になった。誰ともなくひざを折り、ぶるぶる震えながら手を合わせて空に祈り始めた。やがて、小山にいたほとんどの人が同じように必死に祈り始め、小笠原もそれに倣(なら)い、ひたすらに祈った。

＊　＊　＊

避難勧告が出された多くの町では、避難でもぬけの殻になったところに火事場泥棒が出て、家を荒らしまわっていた。彼らは、自分たちなら津波が見えてからでも逃げ切れると思ったのかもしれないが、想定をはるかに超える津波はこの不届き者をまとめてこの世からさらって行った。また、家に置き去りにした財産やペットが気がかりになり家に引き返した者も、ほとんどが生きて避難することはかなわなかった。

旧約聖書には、「ソドムとゴモラの滅亡」に関する逸話がある。ソドムとゴモラという二つの都市は、悪徳や退廃によって神の怒りに触れ、硫黄と火によって滅ぼされたとされる。この逸話の中に登場する「ロト」という男は、都市滅亡の予言を聞き家族と共にそれを逃れるが、ロトの妻はお告げの警告である

「逃げる時に決して街を振り返るな」という教えを破り、街への未練からか途中で街を振り返ってしまう。すると、たちまちロトの妻は塩の柱になったという。

大津波の火事場泥棒や家に引き返した人々は、まさに「ロトの妻」のようなものであった。財物や俗欲が勝り、津波を軽んじた結果最も大切な命を失ったのである。「ソドムとゴモラ」の逸話は聖書上の伝説だが、実は現実に大昔に隕石などで町が滅び、それが逸話になったという説もある。「振り返らずに逃げろ」とは、そうした事実に基づいた教訓である可能性もあるのだ。

日本でも「津波てんでんこ」の伝承が残されているが、こうした話は実際の経験から語られている有用な警鐘・対策である可能性がかなり高い。したがって、伝承に従って動く、というのは極めて実用的な対策のはずなのだが、しかし人間は、過去から驚くほどに学ばない。そしてまさにこの時、日本全国の町々で教えに背いた愚か者が津波に呑まれていた。

一方で、命からがら逃げた人たちはと言えば、大自然の猛威に打ちのめされていた。文明の叡智（えいち）など、自然の猛威の前にはまったくの無力である。快適で便利な生活も、富も何もかもを瞬時に失うことでその厳然たる事実を知った人々は、もはやただひたすらに祈る他なかった。その日、日本は一つの時代を終えた。

■大津波が過ぎて（その後）

結局、津波は第三波まで到来した。そして実際のところ、第一波よりも第二波で命を落とした人の方が多かった。津波が引いたと油断して、せっかく助かった避難場所を離れて人のいる避難所を目指し始めたところを、第二波に呑み込まれたのだ。大都市に残された人々が本格的に避難を始めることができたのは、津波到来から二日が経ってのことだった。

あの悪夢のような大津波が過ぎ去り、川端は避難していたビルから本社があった場所に戻っていた。あまりに巨大な津波だったため、第二波、第三波を警戒した川端は避難したビルにほぼ二日間居続けたが、地上に降りてみるとそこはもう見覚えある風景ではなかった。

道路には泥や石、木切れなどが残っており、低層の建物は跡形もなく流されていた。ところどころに、倒壊し流されたビルの残骸やガレキが集まって巨大な山ができ上がっている。下層階が見事に柱と壁だけになったビル、不自然に高い場所に引っかかっている車やプレハブと思しい家の残骸が、津波の威力を物語っていた。ビルの高層階で難を逃れた人の中には、下層階に通じる階段が流されて孤立している人もいた。窓には、彼らが救助を求めて書いた大きな字のメッセージが貼られていた。まだ生乾きの街には、夏場の熱気と海水や様々な資材などが混ざり合って腐ったような、鼻を突く異様な臭気が満ちていた。

川端がたどり着いた目の前のビルは、残っている外装材などから辛うじて本社ビルと判別できたが大きく傾き、さらによく見ると階数も明らかに少なくなっており、人の気配はまったくなかった。念のためデスクや会社の人間がいないかビルをよく見回したが、泥や草が傾いた屋上階近くにまで貼り付いているのを見てすぐにあきらめた。（この様子だと、助からなかったのかもしれないな）川端は、自分が逃げたビルがたまたま沈下・倒壊しなかったため運よく生き残ったのだという実感を新たにした。

川端は、これからどうするか途方に暮れていた。電気も水もないここでは、とても生きては行けない。とは言っても、どこか近くに身を寄せるあてがあるでもない。あてどなくさまよった川端は、その後いくつもの偶然が重なって数ヵ月後に山梨・甲府の避難先にたどり着くことになるのだが、その間に日本がまったく別の国になってしまったことを様々な事実が明るみに出るにつれて思い知ることとなったのである。

＊　＊　＊

この巨大津波で日本が被った被害は、あまりにも甚大だった。まず、日本経済を支える太平洋沿岸地域に破滅的な打撃を与えた。主要工業地帯・地域である京浜、東海、中京、阪神は軒並み機能停止に陥り、早期の復興は絶望的だった。港湾、飛行場、石油コンビナートなども破壊されたため貿易はままならず、工業生産もできなくなった。

この被災によって、ＧＤＰのおよそ五〇％が消失したことが後に判明した。これは第二次世界大戦後すぐのドサクサにも匹敵する衝撃であり、国内に失業、倒産、モノ不足という恐ろしい〝恐慌状態〟を引き起こす元凶となった。

さらに、事態は最悪を極めた。津波到来から一週間後、再稼働していた鹿児島・川内原発と愛媛・伊方原発が電源喪失によりメルトダウンを起こし、放射性物質が漏れ出したのだ。風向きの関係もあり、この事故の影響は九州南部、四国、中国、近畿の広い範囲におよんだ。放射能汚染を恐れた人々は、西日本から一斉に避難し始め、最終的に一〇〇〇万人近くが避難した。「民族大移動」並みのこの動きは、残念なことにさらに多くの軋轢と不幸を生んだ。避難先でも食糧や物資、燃料が十分にあるわけではないため、避難して来た人々を排除しようという動きが各所で起きたのだ。また福島原発事故の時と同様に、「被ばく難民」などと差別的な扱いをする心ない人たちも多くいた。

かつて栄華を極めたローマ帝国は、ゲルマン民族の大移動が原因となって各地で衝突が生じ、やがて衰退・滅亡の道をたどった。それと同じような状況が、狭い国土の日本で生じ始めたのだ。社会の分断は、津波到来からわずか一ヵ月後にすでに始まっていた。

金融経済も極めて深刻であった。被災から一ヵ月後に株式市場が再開すると、被災前に四万二〇〇〇円強だった日経平均株価は、一万五〇〇〇円近辺にまで暴落した。日本国債も激しい暴落に見舞われ、ストップ安やサーキットブレーカーの発動を繰り返した結果、長期金利は一時八%台にまで上昇した。

こうした事態を受け、政府は財政非常事態宣言を発動し、「日銀の国債直接引き受け」を実施する。これによって長期金利の急騰は一息ついたものの、今度は為替が暴落を始めた。最終的に被災のわずか二ヵ月後には、一ドル＝三〇〇円の大台を突破する〝超円安〟となった。

こうなると、もはや危機は加速する一方である。被害を受けなかった、あるいは軽微(けいび)であった人々の中には、日本を捨てて海外脱出を図る人たちが続出した。数少ない国際便はどれも予約困難となり、政府が海外への渡航制限を発令する事態となったのだ。

銀行の取り付け騒ぎも発生した。特に停電地域では、ＡＴＭが使えないため窓口に人が殺到し、一日二万円を上限とする引き出し制限が実施された。この引き出し制限は、最終的に全国的に数年間に亘って継続されることになった。

主要港湾の機能不全と沿岸部の備蓄施設崩壊は、食糧、エネルギーを中心とした深刻なモノ不足を招き、国債や日本円の暴落と相まって国内にすさまじいインフレの嵐が吹き荒れた。巨大津波が「最後の一撃」の格好となって、日本は国家破産への地獄の坂道を急速に転げ落ち始めた。後に、国家破産の大きな要因となったこの大天災は、東日本大震災の「３・11」になぞらえて「７・22」と呼ばれ、長く後世にまで語り継がれた。

■二〇二七年（二年後）――日本に生まれる新しい生活と社会

「７・22」から三回目の冬を迎え、川端は多くのサバイバル術を獲得していた。

山梨・甲府にたどり着いた川端は、初めこそ避難所に身を寄せ支援物資を頼りに過ごしていたが、やがて他の避難民たちと協力して市街から離れた土地を切り開き、共同生活を始めた。政府や自治体、さらには海外からも支援物資は届いていたものの、圧倒的にその物量は足りなかった。また、自衛隊や自治体などの復興支援の数も圧倒的に足りなかった。そもそも全国各地が被災地となっているため、とても手が回る状況ではなかったのだ。そこで、やむにやまれず自ら動き出したというわけだ。

とはいえ、文明的生活に慣れ切った現代の日本人が、そう簡単に自給自足できるわけがない。何しろ、電気も水道もない、山野で食べられるものも知らない、狩猟も採取も栽培の技術もない、道具も自分で用意できない、雨風をしのぐところもない、とにかく「ないない尽くし」である。そこで初めは学校や図書館にある本から必要な情報を探り、さらに地元で農業や林業、狩猟・採取などに従事していたお年寄りからも情報を得た。そして、いきなりそれを実践に移した。まさに「サバイバルごっこ」のような状態から始めて、後はひたすらに経験を積むという、かなり荒っぽいやり方で自活を目指したのである。

まず、「食の自立」が難題だった。甲府の山間部にあって、山林の保有者たちは「自由に食べてよい」と快く言ってくれたのだが、肝心のノウハウが追い付いていない。それこそ、食べてはいけないキノコを食べたり、川魚の内臓であたったり、木の実で腹を下したりと、体で覚えて行くようなありさまだった。川端は、医者から「そろそろメタボを気にしろ」と言われていたが、「7・22」以降順調に減量に成功し、さらにこの共同生活を始めてから、一時は〝断食僧〟並みの体形にまで到達した。

「住まい」も苦労した。初めは空き家に住んでいたが、とにかく冬場や朝晩の冷え込みが厳しい。暖房の燃料も非常に限られているため、山から枯れ枝などを集めて焚火をしたが、家の中ではそれもできない。結局、いろいろと文献を調べて、自分たちの生活に合った家を作ることにした。仲間の中にたまたま建設関係の人間がいたため、食糧関係より多少はマシだったものの、初めての手作業での家作りは相当難航した。

こんな苦労続きの共同生活を、周囲の人々は初めはもの珍しそうに眺めていた。しかし、どうにかこうにか生活と呼べるような格好となり、やがて「慣れればそれなりに快適」程度にまで生活のめどが付くとその暮らし方に賛同する避難民たちが次々合流して行き、ちょっとした「村」ができた。

「7・22」以降、被災した多くの人たちは自分たちがこれまでいかに便利なモノに囲まれ、不自由なく食べ、過ごして来たかを痛感していた。そして、いつまで経っても以前のような生活には戻らず、常にモノが不足している現状に焦り始めてもいた。自分たちができる範囲のことで、なんとか自分たちの生活を作り上げたい、という思いを持つ者が存外増えていたのだ。

沼津から甲府に避難していた小笠原もその口で、川端たちが立ち上げた「自活村」に志願して合流していた。こうした自助精神旺盛な避難民たちは、全国各地で「自活村」を形成し、日本の新しい生活様式を生み出し始めていた。

＊　　＊　　＊

「自活村」での彼らの暮らし方は、至ってシンプルで合理的だ。自分たちができる範囲のことで、生活が持続可能な方法を用いて暮らして行くというものだ。

いくつか、例を見て行こう。

まず「住まい」は、私有林の所有者にかけ合って木を伐採し、さらに市街地で空き家になっている家も取り壊すなどして材料を集めた。地面に穴を掘り、床に敷物を敷き、木材で屋根をこしらえて住居を作った。いわゆる「竪穴式（たてあなしき）住居」である。燃料も電気も極めて限られている状況で、甲府の寒い冬を乗り越えるには現代式の住宅よりも穴を掘る方が暖房効率がよい。また、穴を掘るため壁面を作る必要がなく作りやすい、というのがその理由だ。

「日用雑貨」は、木材や廃材などを工夫して作り出したり、大都市圏からたまに運ばれて来る拾い物の類を活用したりした。「衣類」も、皆で協力して古着をかき集めて工面した。支援物資などを頼る方法もあったが、いつ届くか、希望通りの物が届くかもあてにならないため、自分たちで工夫する方がよいとの判断だ。

この頃、「電気」はまったく使えないわけではなかったが、大半の家ではかつてのように多くの電化製品に囲まれた暮らしはできなくなっていた。電力供給が追い付かず、常に使用制限がかかる状態だからだ。川端の「自活村」では、必要最小限の情報収集や情報発信、緊急時に必要な対応以外では極力電気は使わないという自主ルールを立て、なるべく電気に依存しない生活を作り上げていた。電気がある生活は便利で快適だが、そういう生活様式は電気への依存性が高い。自分たちで電力を賄えないことを考えると、そうした生活様式は脆弱(ぜいじゃく)で持続性が低いと考えたのだ。

肝心の「食糧」についても、川端たち先達の体を張った経験知を総動員して、自給自足に近付けるべく工夫していた。休耕地を借りて稲作や野菜作りを行ない、森に出向いて山菜や木の実を収集した。狩りを行ない、川や湖で漁をし、多く採れたものは保存・貯蔵を行なった。川端は、元々のキャンプ好きが高じて、周囲を巻き込みいろいろなものに挑戦して行った。その結果、三年目の冬にはついに「自活村」に自給自足のめどを立てることができた。一つのコミュニティが自らの努力と工夫で生存自活能力を獲得したというのは、とてつもない大きな成果である。

このように、シンプルながらも徐々に生活の質が上がって行った「自活村」だが、軌道に乗ると新たな問題が生じた。備蓄食料目当てに盗みに入る者、女性を目当てに暴行を働こうとする者がうろ付き始めたほか、村人の中にも仕事をせず、ルールを守らない者も出始めたのだ。

そこで、「自活村」には自警団が組織され、またルールを守らない村人は最悪の場合「村八分」にされたり追放されたりするという「罰」も設けられるようになった。村人が村を追い出されれば、事実上行くところはなくなる。もちろん、避難所や別の村に行く手もあるのだが、元村人が避難所や別の村に来れば、来られた方も大体察しは付く。ましてや、そこでもルールに従わなければやがて追い出されて行き場をなくすだろう。そうなれば、待つのは「野垂れ死に」である。

＊　＊　＊

こうして、人々は「ムラ社会の掟」に従う生き方を余儀なくされることとなって行った。かつて個人主義的で気ままな生き方をして来た日本人にとって、

「ムラ社会」化が進むことはある種の「退化」のように思われるかもしれないが、実はそうではない。日本人が個人主義で気ままに過ごせたのは、食糧生産や自衛、社会ルールの維持、インフラの整備・保全など、生活を維持するあらゆる労力やコストを「誰かが負担」していたからである。生活を維持するために払うべきこうした様々な労力を、もし村単位の小さなコミュニティで賄おうとするならば、必然的に一定以上の規則を設けて、皆がそれに従うことがどうしても必要となるのだ。便利で豊かなモノが失われ、小さなコミュニティで自活を余儀なくされた日本にとって、これは必然的な変化だったのである。

ただ、意外なことに大多数の村人にとって「掟に従う」ことはそれほど苦ではなかった。むしろ、「掟」は自分の居場所を守ってくれていると考えていた。そして、居場所たる村のために自分も何かできるということ、何かを生み出して皆に喜んでもらえることを、自らの存在意義や喜びとしてとらえていたのだ。実際、避難所で虚ろに日々を過ごし、老け込んでいたような人の多くも、「自活村」に来て自分の役割を得ると、見違えるように日々の営みを慈(いつく)しむようになった。

＊　＊　＊

川端も小笠原も、こうした生活を通じて自身の価値観が大きく変化していることに気付き始めていた。二人だけではない。「自活村」の人々の多くが、このような暮らし方を通じて考え方までも大きく変化させて行ったのだ。多くの価値観が変容して行ったが、最たるものは「人生観」「死生観」であろう。

まず、「自活村」には病院がない。実際には医者や看護師だった者もいるが、十分な医療行為を行なえるわけではない。本人が希望し、受け入れる先があれば医療を受けることもできるが、多くの者は高額な費用を負担できない。具合が悪くなれば症状から病気を推測し、食事や休養で対処するものの、それ以上のことはまずできないのだ。

「結局、現代医療はいろんな技術で人を治す術を得たけど、死ぬことは止められないのよ」。小笠原は、川端と焚火を囲みながら、野草で作ったお茶をすすった。二人は「開拓村」を初期から支えた仲間の一人を看取った後、弔（とむら）い替わりに火を熾（おこ）したのだった。「死に逝く人間を癒（いや）すのも、医療じゃない。結局は、人なのよ」。小笠原の話に、川端は黙ってうなずいた。

村で病を得て長引く者のほとんどは、どこかで「自分はもうじき死ぬ」と悟る。その時彼らが願うのは、一秒でも長く生きたいとか延命してほしいとかではない。自分が苦しくないように、他人に見苦しくないように死にたい、と願うのだ。そして黙って自分の面倒を看、そして死を見届けてくれる人に感謝して死んで行く。

「私、看護師だった頃は心療内科にいてね。そこの患者さんは、基本的に医療で何かができるわけじゃないの。もちろん薬とか、リハビリのプログラムとか、使えるものも多いんだけどそれらは絶対必要ってものじゃない。結局は医者や看護師、それから家族や周囲の人たちという『人』が寄り添って癒すの。死んで行く病気の人も、ある意味では一緒よ。彼らには、寄り添って見届けてあげることが大きな癒しになる。たとえ病気が治らなくても、それはすごく重要なことよ」。川端は、小笠原が死期の迫った病人たちになるべく寄り添ってあげるよう村人を説得して回っていた理由を深くかみしめていた。「それに、これから生き続ける人にとっても、大事なことだと思います」。

川端は応えた。死に寄り添い、それを見届ける村人にとっても、その行為は重要だ。間近に人の死を見ることで、他の誰もがそしていずれ自分も死ぬということに思いを致すようになる。そして、自分と他者の生を慈しみ、共に生きている瞬間を慈しみ、いかに「よく生き、よく死ぬ」かを考える。「よく生きる」とは何か。村では誰もが、自分の役割を得て、他の村人に役立つことの喜びを知る。だから、村人にとっては「人のために生きる」ことこそが「よく生きる」本質となる。人の死を通して、「開拓村」の人々は人が生きる上で何に重きを置くのかを深く考えるようになっていた。

こうした考え方は、あらゆる価値観に影響した。自分が幸せになるために必要なもの、不要なものの考え方が変わった。人の役に立たないものは重んじなくなった。たとえば、名声や権力や富といったものは、それ自体が誰かを喜ばせる役には立たないため重要ではない。人のためによく生き、その結果としてそうしたものが付いてくることはあっても、それは人生の目的足り得ないのだ。

さらに、自分たちを生かしてくれる様々なものに、敬意を示すことも重視するようになった。村人たちは、それぞれがお互い生きて行くために欠かせない存在である、そのため、お互いが行なっている日々の仕事に敬意を持つようになった。そして、コミュニケーションにおいて敬意を表すことも重視された。それは、互いを認め受け入れることの表現であり、信頼を強固にする極めて重要な方法だからだ。

そして、これが長じて自分たちを生かしてくれるあらゆるものに敬意を抱くようにもなって行った。日々口にする食事となる野山の恵みや動物たち、体を清める水、家を支え火を熾す木……あらゆるものに対して、敬意を持つことが、自分たちが生きて行く上での作法となり、儀式となり、そして喜びとなって行ったのだ。そのありようは、ペンキ画家「ＳＨＯＧＥＮ」氏が、修業時代のタンザニア・ブンジュ村の村長から教わった「縄文時代の日本人」のありようが、復活したかのようであった。

■二〇二九年（四年後）――もう一つの日本

こうした前時代的とも言えるコミュニティを形成し、一見すれば貧しく見えるも内面的には豊かな自給自足を達成しつつある社会とは別に、辛うじて残った「大津波前」の文明水準を維持し、現代的な生活を送る人たちもいた。

東北・北海道に移り住んだ人たちである。彼らは、極めて利便性が高く快適だった関東以西の大都市を捨て、新天地である東北・北海道に希望を見出したのである。

「7・22」後、政府は壊滅した東京の首都機能回復や太平洋沿岸の工業地帯、名古屋・大阪などの大都市圏の復興を模索していた。しかし、その構想は計画段階ですでに天文学的な費用と長い年月がかかることが判明していた。東京だけで考えても、水没した空港や港湾、水中迷路と化した地下鉄、いまだ水没地域が大半を占める城東エリア（足立区、荒川区、台東区、墨田区、江東区、葛飾区、江戸川区）、一部倒壊した首都高速道路、液状化などで沈下した地盤、倒壊しかけの高層ビルなど、新たにモノを作る前段階としてこれら「遺構（いこう）」の処理は頭の痛い難題だった。とある高級官僚は、メディアも参加するある会合で「これなら原爆で更地（さらち）になった方がまだやりやすい」と余計な発言をし、その後更迭されたが、復興計画に関わる人間の本心では皆同様であった。

それだけではない。肝心の復興財源がまったくめどが立っていなかった。元々累積していた莫大な政府債務に加え、壊滅した全国の各都市や港湾、空港などの復興費用、被災者救済の費用がとどめを刺し、すでに実質的な財政破綻状態にあったのである。外形的には破綻を免れていたが、それは諸外国が復興支援のために金融支援や日本国債へのモラトリアム（返済猶予や利払いの猶予）を行なっていたためで、あくまで「デフォルトは回避していた」というだけの話である。

しかし、日本政府が東京の復興計画に莫大な拠出を模索していることが明るみに出ると、諸外国は一斉に金融支援やモラトリアムの打ち切りをちらつかせて来た。「屋上屋を重ねるごとく借金するのか？」「まさか踏み倒すつもりか？」「身の程を知れ」――そんな声が聞こえてきそうなほど、諸外国の反応は冷淡だった。

結局、「7・22」から二年後、政府は断腸の思いで長岡への「遷都」を決定し、いくつかの行政機関の仮庁舎を長岡に移転した。また金融機能についても、日本の株式市場を臨時で預かっていた札幌証券取引所が、長岡「遷都」と同時期に正式に東証を継承することとなった。このことから、日本の経済の中心地は事実上札幌となり、企業の本社機能の集約が進んで行った。こうした背景から、特に西日本からの「原発移民」で比較的裕福な人たちは、長岡を中心とした東北の日本海側や北海道に移り住んだのである。

また東北・北海道は比較的食糧自給率が高く、津波の影響が比較的軽微だったことも好適だった。港湾への被害が比較的少なく、急速に港湾整備を進められたことも幸いし、東北・北海道は海外との貿易拠点も獲得することができた。

しかしながら、それで東北・北海道地域が安泰かと言えばそうではなかった。

この時、すでに政府債務の加速度的な累増によって日本国債は暴落し、金利は一〇％前後が常態化していた。日本円も対ドルで四〇〇円台に到達し、輸入物価は恐ろしいまでに上昇していた。インフレ率は年平均数十％となり、庶民生活は加速度的に貧窮して行った。圧倒的だった貧富格差は、いよいよ絶望的な水準に拡大して行ったのである。

そして、「7・22」から三年後の二〇二八年、ついにIMFが日本に介入した。長期金利は瞬発的に三〇％近くにまで上昇し、直近の月間インフレ率が年換算で一〇〇％を超えたことで、海外の投資家や企業の間に日本のデフォルト懸念が急速に広まったためだ。津波で壊滅的打撃を被った日本経済だが、それでもこの時点ではGDPベースでトップ10圏内の経済大国である。その日本が財政破綻（デフォルト）すれば、アメリカを中心とする西側経済圏が受けるダメージも深刻だ。最悪の事態を回避するため、IMFはインフレ抑制や財政健全化を日本政府に強硬に迫った。

果たしてその「提案」内容だが、かつてIMFが介入した国々への改革メニューとおおよそ同じものであった。具体的には「復興費用の削減」「公務員の人員削減と給与カット」「年金カット」「医療費削減」「交付金や給付金などの廃止・削減」など、徹底した歳出の削減と所得税、法人税の増税、付加価値税の増税や新設、さらに一度限定の財産税による税収増を通じて、まずは財政均衡を達成して債務の累積を食い止め、さらに長期間に亘る緊縮財政によって債務圧縮を図る、というものである。

ＩＭＦのこの案に、国民のあらゆる層から反対が起きた。とはいえ、これを受け入れなければ今後の金融支援は打ち切られ、現在実施されている日本国債のモラトリアムも撤回されるだろう。そうなれば、即座に日本国債はデフォルトとなり、国債の売り浴びせと金利の急騰、急激な円安の進行で日本経済は崩壊する。ＩＭＦの提案を飲もうが飲むまいが、どのみち日本には地獄が待ち受けているのだ。

結局、ＩＭＦの提案通りに年金カットや公務員削減、医療費カット、所得税・法人税増税などいくつかの改革案が実行に移されたが、これに憤慨した国民は各地で暴動を起こした。

こうした国内の混乱の裏で、まったく別の思惑が静かに進行していた。海外勢による日本への「侵出」である。

＊　＊　＊

二〇二九年夏――老舗企業の跡取りであった直樹と、ネットビジネスで成功していた秀樹は、札幌にある直樹のオフィスで久々に面と向き合って話をしていた。彼らは幸いにも手持ち資産がそれなりにあったため、被災の翌年にはそれを切り崩して北海道への移住を果たしていた。さらに幸いなことに、直樹は助かった従業員のうち移住を希望する者の大半を引き連れ、会社ごと移転することができた。ただ、幸いだったのはそこまでだった。

「大阪にいた頃がどんなに恵まれていたか、ってことやな」。直樹は、新天地で会社が軌道に乗らず苦戦していた。仕事の仕方は相変わらず旧態依然のスタイルから抜け出せず、ネットへの対応もほとんど行なって来なかったため、とにかく新規の取引ルートの開拓が進まない。「それだけじゃない。物価がべらぼうに上がって、みんな貧乏になっとる。お客の質が急激に変わってるんやと思う。それに、円安をタテに海外企業がバンバン日本企業を買収してるんもあるやろな。外国流の意思決定が浸透して来て、今までのやり方じゃあ、あかんのや」。秀樹は「7・22」以降、日本のビジネスのあり方が大きく変わって来ていることをひしひしと実感していた。

「でも、お前はええやろ。人もモノも抱えんで、アイデアさえありゃなんとかなるんやから」。「いやいや、そうのん気なもんでもないで。最近はどこ行ってもお偉いさんは外国人やし、奴らは遠慮なしに交換条件だしてきよる。でもって、『日本の復興のために仕事回したる』ってノリや。まあ、我々も微妙に『助けてもうてる立場』ちゅう感じやからしゃあないけど。でな、その交換条件てのが厄介なんや」「ふーん。まあでも、商売ちゅうのは一筋縄じゃあ行かんもんやし、しゃあないやろ」「それがな、単なるわがままとか、そういうんとちょっと違うんや。知り合いの話なんやけど、元々付き合いのあった親会社が最近中国系になってな、偉そうなのが何人かで乗り込んで来て『でかい仕事回してやる代わりに中国人雇え』とか、『付き合いのあるどこそこの会社の情報よこせ』とか、『地元の有力者やら役人やら議員やら紹介せぇ』とか、なんかキナ臭い注文受けたって言うんや。どうもあいつら、日本の会社を踏み台にしてなんかいろいろ画策しとるんやないか」。

直樹は、こういう話を聞かされてもどうもピンと来なかった。仕事付き合いなんだから、ギブアンドテイクくらいあるだろうに。相手が中国共産党ならまだしも、中国企業が何かを画策すると言っても会社を大きくしたいとかそういうことじゃないのか。それ以外に何かあるのか？　直樹は、ある意味でとても純粋というか、世間知らずなところがあった。

実際、秀樹が言う通り、こうした動きにはウラがあった。彼らは、日本企業に救済の手を差し伸べる体(てい)で乗り込み、あらゆる既得権益者や権力層への食い込みを図っていたのだ。それは、ゆくゆく弱体化した日本を取り込んで行こうという、壮大な「国盗り」の戦略の一環である。そして、そうした動きを行なっていたのは中国だけではない。ロシアもここに入り込んで来ていたのだ。

対するアメリカは、日本に対しておよび腰だった。経済的な魅力が落ちた日本を、果たしてアメリカがヒト・モノ・カネを出して救済すべきか。実利が少なく持ち出しばかりが増えるという懸念から、アメリカの世論は救済に否定的だった。さらに「7・22」は、第七艦隊をはじめとする極東の米軍にも甚大な被害をもたらしており、軍人にも多くの犠牲者が出ていた。もうアメリカには、極東に大戦力を割く余裕もなくなりつつあった。

＊　＊　＊

日本に触手（しょくしゅ）を伸ばす外国勢力が暗躍する一方で、庶民の暮らしは窮乏（きゅうぼう）を極めつつあった。恐ろしいほどの物価上昇によって、モノがあっても買えない人々が急増したのだ。このことから深刻な犯罪が激増したのだが、中でも増えたのが畑や畜舎から食物を盗む「畑泥棒」「家畜泥棒」たちだ。

もちろん農家も黙ってはおらず、自警組織を作って対抗した。その攻防は生半可なものではない。初めは警棒やさすまたで応じていたものの、ある時自警団が返り討ちにあって死亡する事件が起きてからは、自警組織の「軍備増強」

はエスカレートして行った。高圧電線やくくり罠、トラばさみなどは言うにおよばず、中には猟銃や散弾銃を持ち出す者もいた。彼らの言い分はこうだ――「今はでけぇ害獣が多いすけ、銃でねばわがねぇ（最近はでかい害獣が多いので、銃でないとダメだ）」。食い詰めて盗みに来るのだから、クマもイノシシも人間もみんなまとめて「害獣」というわけだ。実際、トラばさみでかかとから先を失った者や、高圧電線で背中じゅうに重度のやけどを負った者も出た他、さらには複数人の若者たちが散弾銃で撃たれ、瀕死（ひんし）の重傷を負う事件も起きた。

　しかし、こうした事件で自警団は立件されなかった。どうも裏で地元有力者が動いたらしいと噂されたが、財政が事実上破綻しているため警察が十分に機能していないことも要因だった。警察にしてみれば、他にも多くの凶悪犯罪が巻き起こっている中で、言わば「ただの窃盗犯」である彼らにかまう余裕などないのである。また、世論の影響も大きかったと言われる。畑泥棒たちに対する世論の声は「盗むやつが悪い」だった。なぜなら、元々彼らの多くは比較的裕福な人たちだからだ。「落ちぶれて食い詰める人間が悪い、それが嫌なら働いて稼げ」というのが彼らの基本的価値観である。「弱者救済」を訴える人は、ごく少数派であった。

そもそも、誰も弱者を救済できるほどに余裕を持ち合わせていなかった。今裕福であっても、すさまじいインフレと不安定な社会情勢で、明日には自分が貧者に転落しかねないという不安を誰もが抱えていた。他人を助ける精神的余裕などないのだ。

また、国がセーフティネットを維持することも困難だった。財政が破綻しているのだから、当然である。被災者支援は人道支援であり、国のメンツに関わることだから辛うじて行なっていたが、生活保護は「審査厳格化」を口実に事実上打ち切られ、年金支給もＩＭＦの改革案が実施され支給額は半分以下になっていた。以前には考えられなかったことだが、餓死や凍死する高齢者が年々激増していた。

もちろん、治安の悪化も顕著だった。経済的に落ちぶれた人間たちが徐々に集まりスラム街を形成すると、そこでは連日のように暴力沙汰や強盗、殺人が起きた。ある時までは警察も介入していたが、今ではほぼ無法地帯のような状態である。

このように、東北・北海道の主要都市ですら「国家の末期症状」を呈していた。それは「貧富格差の増大」「治安の悪化」「社会的弱者の窮乏」というものであり、かつてジンバブエやベネズエラ、アルゼンチンなど破綻した国々で一様に見られた景色である。一見して裕福な「北」の新天地は、魑魅魍魎たる外国勢力が暗躍し、さらにひとたび経済的に没落すれば待つのは野垂れ死にという、過酷で熾烈な「サバイバル社会」に変貌して行ったのである。

■二〇三〇―三一年（五、六年後）――分断する日本のゆくえ

日本は、「7・22」から数年を経て「関東以北」と「関東以西」の二つの社会に大きくわかれて行った。関東以西は、特に太平洋側が甚大な津波被害に見舞われ、九州・四国の二基の原発がメルトダウンしたことで人口が流出し、その

影響から復興が遅々として進まない状態が長引いた。その間、残った人々は自活のために生活様式を大きく変貌させて行った。ムラ単位の小規模なコミュニティを形成し、自給自足が成り立つことを第一義とした〝最適化〟である。

電気は極力使わず、山野や海の幸を自分たちで採って（獲って）食いつないだ。ムラ独自のルールを作り、自分たちが自らコミュニティを守り支えるために日々働いた。この時期の正式な統計はないものの、後の推計ではこの時期に「西」の平均寿命は一〇―一五歳ほどは縮んだと言われる。食生活、住環境、医療体制などの劇的な変化があったのだから無理もない。ただ、人々は「北」に比べると、相対的に穏（おだ）やかに暮らしていた。

さて、やがてこうした「自活村」が各地に形成されると、彼らは緩（ゆる）やかなネットワークを構築して相互に協力し合う関係を結んで行った。それは、極度の分業によって互いが互いの存在に依存する関係ではなく、あくまで「自活ありき」のムラ同士がより豊かに暮らせるための最小限の交易関係というものだった。この時期、それぞれのムラでは余剰労働力が生まれつつあったが、それを活用して「特産品」作りに注力し、他のムラにそれを供給して、見返りに他のムラの特産品を入手し、さらに生活を豊かにして行ったのである。

それぞれのムラは、自分たちが自活することの難しさ、自活できていることのありがたさを日々身に沁みて実感している。そのため、互いが敬意を持って適度な距離感で向き合う良好な関係ができていた。さらに加えて、衰退した地方都市と自活村との交流も生まれていた。地方都市は経済規模が著しく縮小していたが、逆にそれが自活村との交易バランスの点では幸いした。「規模の経済」を望めない地方都市でも、自活村のいくつかと交換経済を行なう分には十分な能力があることが多かったのだ。中には、地方都市をハブとして複数の自活村が緩やかにつながり、地域通貨が流通する独自の経済圏を作り上げるところも出て来ていた。

＊　＊　＊

一方で、比較的被害の少なかった東北・北海道には行政、経済の拠点が移り、既得権力者や富裕層が続々と移り住んだ。人々の中には以前のような資本主義的価値観が色濃く残っていたものの、日本政府の財政破綻が決定的となり国家としての信認（しんにん）が失墜して以降は、破綻国家特有の末期的状況が繰り広げられていた。圧倒的な貧富格差、犯罪の激増と治安悪化、行政の機能不全、社会的弱者の窮乏……さらに、中国、ロシアなどの海外勢力がひそかに侵出し、既得権益層への食い込みを強化した影響もあって、政治腐敗や不正がどんどん深刻化していた。さらに海外勢力が一通りの飽和状態になると、いよいよオセロゲームよろしく勢力争いを始めた。表向きは日本人同士の利害対立のように見えて、その実は裏でロシア、中国、アメリカが糸を引いているという構図である。

明治維新期、薩長にはイギリスが付き、江戸幕府にはフランスが付いた。庄内藩や会津藩など佐幕派や、東北地方で結成された奥羽越列藩同盟の背後にはプロイセンが付き、さらに北海道はロシアが触手を伸ばしていた。見方を変えれば、近代日本の最大の内戦である戊辰戦争とは列強諸国による国盗りの代理戦争だったわけだが、そのような「代理戦争的構図」が一五〇年以上の時を経て再び、東・北日本に立ち上がって来たのである。

＊　＊　＊

「おやおや、北の『文明人』様がわざわざこんな『未開の土地』になにしに来なすったね〜」二〇三一年初冬。直樹は富山から内陸に三〇キロメートルほど入った山間の「自活村」に身を寄せていた。かつて北海道に移住し、家業を再興しようと奮闘していたが、たまたまつかんだ大口の仕事が非常に筋の悪い話で命取りになった。その話を持ち込んだ日本企業は特殊な特許技術を持つ企業で、ちょうどとあるロシア系財閥がそこに目を付けて会社の乗っ取りを図っていた。そこに、直樹の会社が割って入る格好となってしまったのだ。

実は、その日本企業は後ろに米国系のハゲタカファンドが付いており、ロシア財閥の乗っ取りを阻止するために直樹の会社を含む数社に取引を持ちかけていたのだ。しかし、これは喧嘩の相手が悪過ぎた。ロシア財閥は、乗っ取り阻止に駆り出された企業を根絶やしにすべく乗り出した。すでに買収していた他の日本企業をけしかけて、事業の妨害を仕かけて来たのである。直樹の会社もようやく獲得した得意先との取引をすべて打ち切られ、完全に行き詰まった。

実は、この手合いの話は近年非常に増えており、件のハゲタカファンド系日本企業の話も地元では知る人ぞ知る有名な攻防戦だったのだ。地元有力者の派閥に入り、「献金」やら「お付き合い」やらをしておけば事前に知ることは容易だったのだが、変に生真面目な直樹はそうしたことにまったく疎かった。

あっという間に会社を潰された直樹に対し、秀樹はこう言った。「残念やったな……でもな、冷たい思うかもしれんけど、ここじゃ多少汚い方法使ってでも、会社守る手立てを持たんと生きて行かれへんで。正直、命あっただけでもめっけもんと思うで」。失意のどん底に落ちた直樹は考えた。もうここでは生きて行けない。スラム街に落ち延びて残りの人生を野良犬のように過ごすくらいなら、いっそ全然違うところに行こう。かくして、直樹は母方の遠縁がいた富山に行き、開拓村へと入ったのである。

しかし、開拓村は直樹に対して容赦なかった。特に「北から来た」という事実が、村人たちの気持ちを逆撫でした。何不自由なくのうのうと都会暮らしを満喫していた人間が、都合が悪くなったからと食い扶持を求めてのこのこ田舎にやって来たか。ここで生活するためのどんな仕事もろくにできんくせに、ここで雨風しのいで腹を満たそうなぞ、図々しいにもほどがある——西の「開拓村」の人々が「北の人間」に抱く感情とは、おおむねこんなものだった。

そもそも、「西の人々」が耳にする「北の情勢」とは、まずひどいものばかりだった。無策な政府が借金を重ね、財政は破綻した。そのため、行政サービスのカットや増税などが容赦なく行なわれた。数少ない西の都市圏でも、その影響は顕著だった。円安、高インフレで庶民はどんどん貧乏になり、挙句行政サービスは削られ、税金は増えた。国民を貧しくさせながら、北の人間は相変わらず旧態依然の資本主義的消費に汲々（きゅうきゅう）としている。政治は腐敗し、海外勢に付け入るスキを与え、国としての再建もままならない。こんな「腐った過去の遺物」のような北日本など、もうなくてもよい、という極論に至る者も少なくなかった。

その一方で自分たちは、モノがないなりに工夫し、豊かに暮らす術を作り出して来た。物質文明に踊らされるのでなく、自制的にそれを用いながら、新しい生活様式を構築して来た。開拓村の人々には、「自分たちこそ、本当によい生き方をしている」という自負があり、だからこそ、北の体たらくは余計に腹立たしいもの、汚らわしいものに映っているのだ。

よって、冒頭のような嫌味などは「優しくなでている」ようなものである。直樹は一日に数度は「能なしのごく潰し！　お前は村の外で寝ろ！」「貴様が食っていいのは家畜も残した飯だけだ」「村仕事の一つでも覚えてから出直してこい。この役立たず！」などと怒鳴られ、時にはさらに言葉を極めた罵りも受けた。村の顔役の一人が直樹の遠縁だったことで辛うじて居候(いそうろう)できていたが、どうにかしなければ早晩追い出されるのは目に見えていた。

ただ当の直樹はと言えば、なぜかあまり悲壮感も抑うつ感も感じていなかった。むしろ、長年背負ってきた「老舗の跡取り」という重荷が取れたせいか、新しい生活、新しい体験に日々新鮮な刺激を得ているためか、この境遇が悪くないとすら感じていた。まだ村の作法も知らず、村に貢献できる仕事も何一つないが、「何か自分にもできる」という希望のようなものが見えていた。

実際、直樹は日を追うごとに村になじんで行った。たい肥汲みから家畜の世話、寝ずの見張り、野良仕事に力仕事と、慣れない人間ならすぐ音を上げそうな仕事も、むしろやったことがないため面白がって自ら志願した。毎日ヘトヘトになるまで働き、あれこれ思い煩うこともなく気を失うように眠りにつくのは、今まで感じたことがないほど心地よかった。村のしきたりにしても、村を守るためと考えれば合点が行くものばかりで、あまり違和感なく従うことができた。年端も行かない若い者に頭を下げるのも嫌味を受け流すのも、さして苦ではなかった。

そしてある日、直樹が村人から一目を置かれる事件が起きる。それは、山梨のとある開拓村から来たという者が、交易の話を持ってきた時のことだ。その男は燃料や肥料、備蓄品、衣類などを他の開拓村より好条件で提供できると話し、村の顔役たちは色めき立った。ただ、その話を遠縁の顔役から聞いた時、直樹は嫌な予感を覚えた。「大叔父さん、今回の話、乗るんですか」「なんや直樹、気になるんか？」「はい、正直やめた方がいいかと」「ん……なんでや。あんないい条件やのにか」「だからです。後、よそのムラとのやり取りはやめてくれ言うのも引っかかります」「ほう……落ちぶれたとはいえ商人の倅(せがれ)というあれか。カンか？」「いえ。落ちぶれた経験からです。話の流れが、会社を潰しに来た時の大陸系の手口に似てるんです。そもそも、彼が言ってた山梨のあの辺って開拓村、あるんですか？」「いや、わしは地理とかそういうんは知らんが……そんなん、ウソついて何になる？」「わかりません……ただ、海外勢の北での勢力争いは、かなり飽和状態になってます。彼らが西に来るとしても、おかしくはないでしょう」。

　大叔父である顔役は話に付いて行けない様子だったが、直樹が中国やロシアが北でいかに日本社会に食い込んで来ているか、自分の会社がどういう経緯で潰されたかを話すうち、だんだん理解が追い付いて来た。「つまり、交易で相手への依存度を上げて取り込んでいこう、て魂胆か」「そうです。まあ、彼らが提供する物資があれば、我々も一時(いっとき)便利で快適な生活はできますが、じきに手のひらを返されるでしょうね。『言いなりになれ。さもなくば物資を止める』とか。

まあ、他にもやりようはいろいろです」。アヘン戦争の時のように、相手国に国民の毒になるようなモノを売り付け、相手がそれを「いらない」と突っぱねたら強引に戦争に持ち込んで制圧する、などと言う手もある。「交易」とは、やり方次第では形を変えた「戦争」という側面があるのだ。

　直樹は、自分の苦い経験でそうした厳然たる事実があることを骨身(ほねみ)に刻んだ。今回、どの国が仕かけているのかは知らない。ただ、主立った開拓村を交易を通じて手中にし、やがて国を切り取って行くことは十分に考えているだろう。

直樹は、大叔父に自分の考えを伝えた。

　結局、直樹の進言で顔役たちは山梨の開拓村との交易を断った。交渉役の男は信じられないといった顔をしていたが、「我々は自活することを重んじている。モノに不自由しない生活は魅力だが、かつて日本人はモノに依存し過ぎて自活力を失った。もう、その失敗はしない」と突っぱねたところ、奇人を見るような眼をして去って行った。

　後日、川端がいる甲府郊外の開拓村と通信したところ、「そんな開拓村はない」という答えが返って来た。さらに、「最近そういう話が増えている。よその開拓村が交易を断って来たので事情を尋ねたら、ありもしない新潟の開拓村が似たような話を持って来ていた」という話までわかった。川端は、甲府を中心に甲信越地方から遠くは三重や和歌山の開拓村ともやり取りして情報収集をしており、昨今の開拓村を取り巻く情勢が決して穏やかなものではないことを察知していた。そこで川端は、自分が知り得る海外勢の動きや開拓村を取り巻く情勢を直樹たちに教え、自分たちが村をどう守りたいのか考える参考にしてほしいと語った。直樹は、川端が惜しみなく開示してくれた情報に感謝しつつも、徐々に自分の推測がつながり始めていることを知り、空恐ろしさに襲われた。

この一件から、直樹を蔑ろ(ないがし)にして来た村人たちはにわかに態度を一変させた。中でも、ことあるごとに「村を出て行け」と罵っていた筋骨隆々(きんこつりゅうりゅう)の中年男性は、わざわざ直樹の居候する家に押しかけると、潔く直樹に頭を下げ、こう言った。「これまでは、ならず者から村を守るために腕力が必要やった。でも、もうそれだけでは守り切れん時代になったんやな。あんたは、大事な村を守ってくれた。

ありがとう」。直樹は今までに感じたことのない、何か熱いものが自分の胸に灯ったのを感じた。男が帰って一人になると、その熱いものはジワジワと体に広がって行った。直樹は、静かに泣いた。

＊　＊　＊

こうして兄の直樹が徐々に「開拓村」での生き方になじんで行った頃、弟の秀樹は札幌で非常に苦しい状況に置かれていた。

ことの発端は、ある時一人の仕事仲間が家業を継ぐために離れ、代わりの人物を紹介して来たことに始まる。彼は優秀で仕事も実直だったが、その彼が取って来た大きな仕事が今になって非常にキナ臭い話になって来たのである。

「で、クライアントが彼をプロモーションすると？　何でそういう政治的な話になるんだ？　キム、僕らは政治にからむ仕事はしないって約束だよね？」秀樹は不信感をあらわにした。このクライアントとは、中国系のソーシャルメディアである。この企業が日本に本格進出するにあたって、キムは母国のコネを使ってローカライズの総合企画や広告のコントロール戦略など、中核となる部分の仕事を取って来た。今までで最大規模のプロジェクト獲得にメンバーは沸き立ち、秀樹たちは立ち上げに心血を注いだ。

ただ、秀樹は唯一「政治に関わる仕事はしない」というルールを皆に掲げていた。秀樹の仕事のスタイルは、多国籍のフリーランス集団による分業が基本だ。もし、ここに政治的要素が入ればどうなるか。ある国の主張を称揚するような仕事に関われば、それに反対する国のメンバーは仕事を離れるだろう。かように、政治が絡めば仕事が破綻することは目に見えている。だから、政治が絡む仕事を禁止にした。中国系ソーシャルメディアに対しても、「我々は政治には関わらない」と明言して来た。

「ヒデさん、政治的かどうかは僕らが決めることじゃない。それにプロモーションする『やまと』君は日本人だ。日本で優秀な日本人をPRすることは、問題じゃないだろう？」キムはこう反論した。『やまと』とは、最近注目を集めるインフルエンサーだ。北海道の寒村出身ながら、札幌を中心に「北」で慈善活動を展開しており、若者だけでなく高齢者からも厚い支持がある。最近では日本の将来を憂いて、政治的な発信も精力的に行なっている。

実は秀樹は、別のプロジェクトでこの『やまと』がインフルエンサーになる過程にも関わって来た。そのため、彼のことはよく知っている。彼の本名は『やまと』ではなく、北海道の寒村生まれでもないことを。慈善活動をして来たが、その資金がどこから出ていたかを。そして彼が今後展開する政治的主張が、簡単に言えば「隣人である中国人と手を取り合おう」、つまり中国に従おうというものであることも秀樹は知っていた。

要するに、これは壮大なプロパガンダのためのプロジェクトだったのだ。中国は、日本人を救う善意の日本人インフルエンサーを日本で仕立て上げ、自前のソーシャルメディアで喧伝する準備をして来た。そして、このまま彼がプロモーションされ、政治的認知度が十分に高まって来れば、彼はこうぶち上げるのだろう——「中国は我々の隣人です。これからは中国と仲良くしましょう。アメリカは困った時には助けてくれませんでした」。実績十分な彼の言うことに従う日本人は多いだろう。こうして世論を誘導し、中国への従属を受け入れる下地を作って行くわけだ。

＊　　＊　　＊

「キム、君はどこまで知ってたんだ？」「知るって、何の話だ。僕らはあくまでビジネスをするだけだろう？　そこに政治を入れるかどうかは、クライアントが好きにやることだ。僕らはクライアントに道具を用意するだけで、そこにポリティクスはない。僕らが世論を作るわけじゃない」。キムの言い分にも一理ある。自分たちが政治を持ち込まないことと、顧客が政治を持ち込まないことは別だ。ただ、この理屈は一見正論に見えて詭弁（きべん）に近い。秀樹はキムを冷静に見つめながら言った――「要するに、我々は顧客の要求で武器を作るだけで、人殺しはしないから問題ない、と」。インターネット接続のモニター越しだが、お互いの間には剣呑（けんのん）な雰囲気が漂っていた。「そのたとえは違うよ。武器は人を殺すのが目的だ。メディアは人を活かすための道具だ。ヒデ、君は中国系メディアが日本を蹂躙（じゅうりん）しに来たと言いたいようだけど、それこそ君の『政治的な視点』じゃないのか？」。秀樹は議論を続けることをあきらめた。彼と自分では政治と仕事のとらえ方がまったく違う。彼は彼の信条に従って、「自分の政治思想抜き」でこの仕事に取り組んでいるのだろう。たぶん、彼はこれが国家的プロパガンダであるとは知らないのかもしれない。というか、彼が「工作員」なのかどうかは、もうここまで来てしまったらどうでもいいことだ。秀樹は態度を軟化させ、一息ついてこう言った。「キム、君の言い分はわかったよ。確かに僕の言い方だと、クライアントの政治の自由を認めないことになるね。オーケー、僕らは僕らの仕事をしよう」。

かくして、秀樹のプロジェクトは中国が全面協賛する『やまと』氏を「未来の英雄」に担ぎ上げ、一大ムーブメントを巻き起こした。その後『やまと』はソーシャルメディアでの圧倒的支持を受け、一大勢力を率いて政治の舞台に躍り出た。実は、同様の動きはロシア、アメリカも行なっており、この時期それぞれの勢力が看板有力者を政界に送り込んで行った。

日本の政界は、海外勢力の「お墨付き」の人物を核にして三つ巴(どもえ)の熾烈な政争を繰り広げ、混迷をより深めて行った。

＊　＊　＊

「北」で海外勢力が跋扈し、政治が混迷を極めている頃、「西」でも新たな政治の息吹が芽吹き始めていた。「開拓村」の有志や地方都市の有力者たちを中心に情報ネットワークが構築されると、やがて新興メディアが立ち上がった。川端は村仕事の傍ら、そこに記者兼論説委員として所属した。元新聞社の川端にしてみれば「でたらめな肩書」であったが、実態を肩書にすればこういう肩書が自然だった。なにしろ自ら取材に出かけ、写真を撮り、ストレートニュースを書き、社説も書き、署名記事も書くのである。要は、「なんでも屋」だ。

この新興メディアが本格的に活動を展開し始めると、特に「北」の情勢を通じて日本が置かれている現状がいかに危機的なものかが見えて来た。

まず、「北」と「西」では文明・文化水準に圧倒的な差が生じていた。また、日本全土を俯瞰すると、地域によっては自治・自衛組織化が高度に進んでおり、さらに国家破産による経済的な混乱が政府の信認を大いに低下させ、国としての統一性がどんどん失われていた。行政機能が著しく低下したことで臨時的に各地域が独自行政を行なって来たが、これがなかば恒久的な仕組みになろうとしていた。つまり中央集権は事実上崩壊し、なし崩し的に「道州制」のような格好になって来たのである。人口動態も経済力もまばらな日本を、今まで通り中央からコントロールすることは、もはや誰の目にも非現実的だった。しかし、政府は議論を先送りにし、決断は延期され続けた。

周辺諸国の動向に目を向けると、いよいよ日本の置かれた状況は「待ったなし」であった。米軍の後ろ盾もあり、日本の国防は辛うじて維持できていたが、沖縄、グアムの米軍基地が壊滅して以降、復旧のめどはいまだ立っておらず、軍事力の空白地帯が生じている。中国は、この機に乗じて台湾の「平和的併合」を事実上完遂しようとしていた。巨大津波は台湾や中国沿岸部にもおよび壊滅的被害を出したが、中国はこれを奇貨（きか）として「国家重要事態」を宣言、沿岸部および台湾に向けた天文学的財政出動と復興プロジェクトを即座に発動した。

あくまで人道支援の体で始まったこのプロジェクトを通じて、中国は台湾の取り込みを一気に進めた。極東の米軍が動けず、さらに人道支援の「御旗（みはた）」を掲げる以上、アメリカはこれにほとんど対抗措置を取れなかった。

ロシアは、ウクライナ侵攻が長期化していたが、日本が巨大津波の打撃を被ると即座に停戦協定を結び、極東への侵出に動き出した。川端が入手できたロシア関連の情報は絶対量が少なかったものの、いくつかの重要な情報をパズルのようにあてはめて行くと、ロシアも人道支援から経済支援へと移行し、やがて日本を「切り取る」ことを模索していることが見えて来た。

「のん気に政争などやってる場合かよ！」川端は知り得た情報から、このままでは日本は諸外国の食いものにされるという危機感を抱くようになっていた。これだけ国内が分断する一方、諸外国は日本の切り取りに本腰を入れ始めている。このままでは、日本はバラバラにされてしまうだろう。新興メディアとして、この現状を世に問わないわけには行かない。川端は使命感に駆（か）られ、一つの論説を特集記事としてまとめた。

「『7・22』後の日本とこれからの日本のあり方」――その主張の骨子はこうだ。「『7・22』後、日本は『富める北』と『貧しき西』に分断し、さらに各地域によって文明・文化水準すら大きく様変わりした。これほど多様化した日本が、引き続き中央集権で国体を保つことは至難である。そこで、『道州制』による日本再編を今こそ真剣に検討すべきである」。

また、諸外国の動静についても冷静かつ論理的に分析して見せた——「中・ロの近隣諸国とアメリカは日本の復興支援を行なっているものの、彼らにも自国の国益を優先する論理がある。日本は果たして、いかにして立つのか。他国への多大な依存を前提とするのか。あくまで自立・自活を前提とし、その上で利害の折り合う国々とその範囲において付き合って行くのか。自活の道が厳しいことは、『西』の自活村の歴史を見れば明らかだ。しかし他者の力を借りず、何事も自決できる『自由』が、彼らにとって代えがたい財産の一つであることも確かだ。一方、他国の力を借りればかつてのように便利で快適な生活が手に入る。そして、その代償として我々は『条件』や『制約』を受け入れることになるだろう。我々日本人は『自決の自由』を指向するのか、『従属下の快適』を目指すのか」。

川端は、多くの人々にこれからの日本をどうしたいのかを、記事を通じて問うた。もちろん、自分に政治を志す気持ちはまったくない。解決の知恵を持ち合わせているわけでもない。しかし自分は、人の声を聴き、まとめ、発信することのできる立場にある。これを読んだ人々の一人でも、何か行動を起こすきっかけになってくれればよい――川端の純粋な願いは、果たして彼の思いもかけない形に結実した。というのも、この記事からわずか数ヵ月後には「未来の日本をどうにかしたい」と真剣に考える若い世代が、川端の投げかけに自分たちなりの答えを掲げて活動を始めたのだ。そしてこの若者たちの活動は、やがて日本を次のステージに押し上げる大きな原動力となって行った。

■二〇三五年（二〇年後）――革命前夜

甲府の避難村では、一人の男が村を出ようとしていた。「秀樹さん、お元気で。お兄さんにもよろしく」川端は秀樹と握手を交わすと、秀樹に手土産を渡した。

「本当にお世話になりました。小笠原さんにも、くれぐれもよろしくお伝え下さい」秀樹はこの一年あまり、小笠原にすっかりお世話になっていた。秀樹が発症した病気に、ずっと向き合ってくれたのだ。

二年前の二〇三三年、秀樹は『やまと』氏のプロモーションの仕かけ人として、知る人ぞ知る時の人になっていた。「未来の英雄」を発掘し、世に広めた敏腕プロデューサー——世間の評価はおおむね好意的であった。街角で声をかけられることもあり、秀樹はちょっとした有名人になっていた。

しかし、当の本人にとっては、不本意この上ないことだった。自分の仕事によって、今世間では『やまと』氏がぶち上げる親中論が台頭している。その『やまと』氏と言えば、彼自身の主張は穏便（おんびん）だが取り巻きの連中たちが悪辣（あくらつ）に世間をあおり、社会の分断を助長している。その影響から、小競（こぜ）り合いや暴動が起き、街ではこのところ不穏（ふおん）な空気が漂っている。自分が加担したわけではないものの、自分の仕事がこうした事態を引き起こしていることに秀樹は大いに思うところがあった。

もちろん、日頃はそんな思いをおくびにも出さない秀樹だった。しかし、世の中には真実を知る人もいた。ある日、カフェのテラス席で休憩をしていると、若い女性に声をかけられた。身なりは地味ながら、聡明な印象のその女性は、秀樹の最近の活躍について一通りのお世辞を述べた後、こんなことを言った。

「秀樹さんは、中国に加担して日本を分断したいおつもりなんですね」出しぬけのこの発言に、思わず秀樹は反応した。「し、失礼な！　何を言ってるんだあなたは!?」「『やまと』さんがどういう人か、秀樹さんはもちろんご存じですよね？　知ってて祭り上げたんですから、中国に加担しているというのは正しい表現と思いますが？　そして、その中国が今、何をしようとしているか、それはちょっと政治に詳しい人ならみんな知ってます」秀樹は二の句が継げなかった。その女性はこう続けた――「人にはいろんな政治信条があるから、親中がよいというお考えのあなたを否定はしません。ただ私は、私たち日本の社会を分断し、争いを誘発させる手口は認めるべきではないと思っています」。

呆気にとられた秀樹に、その女性は「失礼なもの言いですみませんでした」

と言って名刺を置き、丁寧にお辞儀をして去って行った。名刺には、「自活する日本の会」という肩書が書いてあった。

その一件以降、秀樹は心のわだかまりをぬぐえずにいた。自分には、確たる政治信条があるわけではない。しかし、自分の能力や仕事によって図らずも誰かの政治的な思惑に大きく加担していることに、実は違和感を覚えていたのだ。しかもそれは、自分が決して望ましいと思っていない政治信条である。普段は自分をごまかし考えないようにしていたが、時折あの女性の、見通すような射貫くような目がフラッシュバックし、秀樹はそのたびに言いようのない苦しさを感じた。

そしてある日、秀樹は仕事中に突然発作に襲われた。圧倒的な息苦しさと、突然目の前が真っ暗になりどこかに落ちて行く感覚……自分はこのまま死ぬのかという恐怖がよぎった。知らず気を失った秀樹は、数時間後に訪問して来た取引先の人に起こされ、なんとか正気を取り戻した。

一過性に思えたその発作は、しかし数日後にまた発症し、その後たびたび起こるようになった。しかも、発作が起きる間隔も徐々に短くなって行った。得体のしれない発作に徐々に精神を蝕(むしば)まれるような感覚にとらわれた秀樹は、ついにある日、まったく動けなくなった。仕事に行こうとしても、起き上がることすらできなかったのだ。「あぁ、自分もこれまでか」とあきらめ、なんとかソファまで這(は)って行き、小一時間ほど横になっていた時、突然直樹から電話がかかって来た。「おう、元気か？」「……ハァ…ハァ、兄貴」「ん、具合、悪いんか」「……なんか、ヤバい……」。こうして秀樹の危機は直樹の知るところとなり、秀樹は直樹が助けに行かせた知人に連れられ病院に入院した。心因性の発作と診断されたが機序(きじょ)もはっきりとせず、なかば「奇病」扱いされた。数日で退院したものの、発作はその後もたびたび起き、秀樹はほとんど仕事ができなくなっていた。

数ヵ月後、再び秀樹のところに直樹から電話がかかって来た。「秀樹、おまえ、今の仕事、辞めえ。そっち離れて、田舎でリハビリせえや」。兄からの突然の「戦線離脱勧告」に、秀樹は反射的に反論した。「簡単に言いなや。俺の仕事はそんなゆるいもんとちゃう。なんも知らんのに……」。言いかけて、秀樹は口ごもった。「なんや、『ご家老』みたいな口振りやなあ」。直樹はのん気な調子で、冷やかすように言った。かつて、兄に北海道の事業提携の話をした時のやり取りを、秀樹も思い出していた。あの時とは、立場が逆だが。

「命あってのもの種や。黙って兄の言うことを聞け」。直樹に押し切られるように、秀樹は札幌を離れた。オフィスを引き揚げるという日、テラスで秀樹に話をしたあの女性がふらりと現れた。秀樹は身構えたが、女性は穏やかに話し始めた。「西に行かれるとか。どちらに？」「まだ決めてません」「そうですか。お身体、大丈夫なんですか」「なぜそれを？」「秀樹さん、有名人ですもの。いちおうＳＮＳなんかも読んでますから」。時の人の秀樹が、突然失踪すれば騒ぎになる。結局、体調不良を理由に仕事を引退し、しばらく田舎でリハビリすることはＳＮＳで発信していた。彼女も、それを読んで知ったのだろう。

「で、政敵の敗戦撤退を見届けに？」秀樹が冗談めかして話すと、女性は困ったような顔で笑った。「あの時は本当にごめんなさい。私、秀樹さんが敵とか、そういうつもりはないんです」「はあ。じゃあ、なんでわざわざここに？」秀樹は女性の真意を測りかねていた。「もしかすると、この人なら病気のこと、わかるかもと思って」女性はメモを差し出した。そこには、甲府の開拓村で暮らす小笠原の名前が書いてあった。「昔、看護師やってた方なんですが、心因性の発作のこととか抑うつとか、すごく詳しいんです。小さい頃、私もお世話になりました。秀樹さんの、なにか助けになるかもしれないと思って」この人は、政治信条が違う（と秀樹は思っている）私にも、こんな気遣いをしてくれるのか。秀樹はなにか非常に申し訳ないような気分になっていた。「ありがとう。そのためにわざわざ？」「まあ……」「行ってみます。行ってみますよ」。秀樹は女性に礼をし、小笠原を訪ねることを約束した。

＊　　＊　　＊

かくして秀樹は、甲府の開拓村でリハビリを始めた。初めは半分信じていなかったが、あの女性の言う通り小笠原は心療系に非常に明るく、適切な処置を助言してくれ、よく話相手にもなってくれた。よそ者に厳しいという噂の開拓村の人々も、なにかと気にかけて声をかけてくれた（後にそれは小笠原が方々を説得して回ったためだったとわかったが）。その甲斐あって、秀樹は一年ほどで発作を克服し、健康を取り戻すことができた。

秀樹は健康を取り戻すにつれて、一つの思いを抱いていた。自分のはノンポリだと思っていたが、やはり譲れない信条があるのではないか。少なくとも、『やまと』氏の主張や政治信条には賛同できない。その彼を、自分を偽ってプロモーションしたことが、病気の原因の一つだったのではないか。そして、「果たして自分はどういう世の中、どういう政治であれば賛同したいのか」を知りたいと思うようになった。

ある日、川端から西の情勢について話を聞いて、秀樹は「これが自分の賛同したいものかもしれない」と思った。そして、日本の未来のために立ち上がった若者たちの活動について知ると、なんとかこれに協力できないかと考えだした。ストレスも少なく体を動かすことの多い田舎の生活になじんだ秀樹には、気力がみなぎっていた。

そんな折、川端のところに富山の直樹から連絡が入った。川端は秀樹をその場に呼び、わざわざ通信コストのかかるテレビ電話をつなげなおして話を続けた。そして主だった用件が終わると、秀樹に席を譲った。「久し振りでしょう。元気なところ見せてあげて下さい」秀樹は、画面越しで久々に見る兄に緊張していた。顔かたちは兄なのだが、雰囲気がまったく違う。知っている兄はちょっと神経質で、生真面目で、どことなく臆病な雰囲気をいつもまとっていた。しかし、今はどうだろうか。粗末な着物をまとい、無精ひげを生やしているのもあるが、とても穏やかで静かな自信が画面越しにも伝わって来る。

「直樹、体調どうや？」「うん。ええよ」「そか。あんな秀樹、病み上がりになんやけど、もしできそうならおまえにやってほしい仕事があるんや」「どういう仕事や」「政治のプロモーションや」「政治？」「ああ。さすがに嫌か？　まあ無理には頼まん。『自活する日本の会』てところでな」秀樹を訪ねて来た、あの女性の名刺にあった会である。川端が書いた論説記事がきっかけで、多くの若者が日本の未来のためにと活動を始めた。その一つが「自活する日本の会」だった。彼らは熱意にあふれ、日々研鑽を積み、多くの人たちの支持を取り付けつつあったが、いかんせん広報活動などは素人で、なかなか大きなムーブメントにはつながっていなかった。

直樹は彼らをなんとか支援したいと考えていたが、自分にはその才覚もリソースもないことは十分にわかっていた。そこで、弟の秀樹である。秀樹にはその才覚もリソースもある。しかも、「北」で十分過ぎる実績も出して来た。ただ直樹は、秀樹が倒れた原因もその仕事にあるだろうと薄々感付いていた。

リハビリ先の田舎に来てまで、意に染まない政治プロモーターをさせるのは忍びない、とも思っていた。「無理はしてくれるな」——そう願いつつ、直樹は言った。「まあ、もし興味あったらな。そしたら川端さんに詳しいこと聞いてくれ」。秀樹の方も、こんな言い方で仕事の話をする兄の気遣いに感付いていた。仕事のない新参者に開拓村は厳しい。そんな場所に、兄は弟の居場所を作ってくれようとしている。しかし、それを無理強いするのではなく、受けるかどうかは自分の心に聞け、と気遣ってくれてもいる。秀樹はニヤっと笑い、わざとおどけるようにこう答えた。「やるわ。俺はノンポリやから、お仕事やったらキッチリやらしてもらいます」ちょっと驚いたように、しかし嬉しそうに直樹は返した「お、おう。でも本当にええんか？」「もちろん。一度は辞めたが、一応プロやで？　まあ他にアテがあるんやったら、別にええけど」。

＊　＊　＊

こうして秀樹は、直樹のいる富山の開拓村に引っ越して行った。後に、この兄弟が支援する政治団体の活動は大きく実り、日本は未来を考える若者たちの手で大きく変貌して行くことになる。しかしながら、二〇三五年現在では、まだ、誰もそのことを知る由（よし）もなかった。

■二〇××年（未来）――新生日本

歴史を振り返って、この二〇三五年頃が最も日本がどん底に沈んでいたと振り返る史実家も多い。「7・22」の影響を受け、一時は繁栄し豊かだった「北」

も、この頃には極限まで荒廃が進んでいた。ごく一部の富裕層が何不自由なく暮らす一方、スラム街と化した町では毎日凶悪な犯罪が起きていた。状況を改善したい人たちは少なくないものの、中国、ロシア、アメリカが既得権益層に深く刺さり込んで暗躍しており、改革は遅々として進まなかった。日本は、GDPランキングでもトップ10から陥落し、「新途上国」という不名誉なレッテルを貼られていた。

一方、「西」で起きた新たな「貧しきコミュニティ」は、身の丈に生活を合わせることでつつましやかながら豊かな生活を築いていた。ただ、そこに住まう人々の思想や態度は、もはや「7・22」前の日本人のそれとはまったく別ものとなっていた。権力を振りかざし、名誉をひけらかし、富に驕る人は社会から淘汰されて行った。自立・自活し、調和、共存を重んじ、相互に助け合うこと、日々に感謝することが美徳とされた。

そして彼らの多くは、そのような生き方こそがこれからの日本にふさわしいものだと考えるようになった。おのずとそれは、「北」に住む権力者たちとの決別を指向することにもなった。あれほどの大災害に見舞われながら、いまだに富や権力に固執し、諸外国に付け入られ、悪しき資本主義的浪費にふける人々……。こうした人々が中央集権の下で権力の座にいることこそ、日本の再興を妨げる最大要因であり、これをどうにかすることが必須である。かくして、「西」からは静かに、しかし急速に革命への機運が高まり始めていた。

＊　＊　＊

その後の四人の運命は、ここでは触れないでおく。しかし日本は、大きく変貌して行った。「西」の活動家たちの政治行動が実り、どん底から七年後の二〇四二年、日本は分権国家として大きく生まれ変わる。それぞれの「州」は、海外諸国の影響を色濃く受けるところなどもあり、特色の異なる発展を遂げて行った。

ただ国としての形は、一つの「日本」を保つことに成功した。開拓村を起源とするコミュニティは、緩やかな連携を保ちながら独立性の高い自治を指向し、旧態の資本主義とは異なる生活様式の選択肢を人類に提示し続けている。

それからさらに二〇年後、分権国家になって極めて豊かな文化的多様性を獲得した日本は、再び世界から大きな注目を集めることとなった。

それは、南欧で発生した、「VEI」（火山爆発指数）七という大規模な海底火山噴火によって、急速な気候変動が起きたためだった。巨大津波によって打撃を受けた日本が、小規模なコミュニティの形成と多様化によって生き残りをかけたという事例や自活できる小規模コミュニティのノウハウなどが、世界中から注目されたのだ。かつての経済発展とはまったく異なる観点で、日本は再び世界の先頭集団へと返り咲いたのである。

災害が「起きる」前提で備える

さて、いかがだっただろうか。かなり想像の翼を広げてしまった感もあるが、巨大津波が国家に壊滅的打撃を与えた結果、いかに日本の社会が変貌し、その中でどのように人々が適応し、生存して行くのかを見て来た。私は、少なくとも①貧富格差の増大による文明・文化の二極化と②海外勢による日本への侵出はかなり高い確率で起こると想定している。もちろん、そうならないシナリオも考えられるが、日本が置かれている地政学上の立ち位置、経済・産業面での優位性、日本における富の集積の状況など、様々な要素を考慮するとやはりこの二点の要素は外せないように思われる。

もしこのような状況に陥った時、果たして私たちはどのような選択をし、どのような生活を送ることになるのか。物語では「富める北」に暮らす人々と、「貧しき西」に暮らす人々を見て来た。いずれの側にも良い側面と悪い側面があり、どちらを選んでも決して楽な生き方とは限らない。ただ私たちの生活は、否応（いやおう）なく変容を迫られることは確かだろう。私たちは、そうした覚悟を持ってこれからの時代を生きて行くべきだ。

そしてもう一点、激動の時代を生き抜くにあたって重要な点にも言及しておきたい。それは、「備えた者は環境を選べる」ということだ。ある程度の資産を持ち、災害への備えを進めていた人々は、激変した日本の中でも望む環境を選択できる余地を持てる。しかし備えもなければ、仮に生き長らえたとしても、その後は成り行きの環境でサバイバルする他ない。選択の余地はないのだ。

そうしたことからも、私は「起こるか起こらないか」ではなく、「起きた時に向けてどう備えるか」の方がはるかに重要であり、そう考えて真剣に行動すべきだと思っている。ぜひ読者の皆さんには、より多くの選択肢を手元に残せるように、しっかりと「備え」と「覚悟」を固めていただきたい。

第二章

二一世紀は、やはりとんでもない時代だった

民衆の飢えた時、幾多の帝国は崩壊し、
いかなる強力政権も恐怖政治も潰え去った。

（林語堂）

「八〇〇年周期説」で紐解く現代の特異性

「二〇二五年七の月の津波の予言」が当たるかどうかはさておき、私たちが生きている二一世紀が〝とんでもない世紀〟であることは間違いない。それを証明する、恐るべき物語がある。それこそ、「八〇〇年周期説」というものだ。

これは歴史学者の村山節氏が発見したもので、今では多くの人々が研究し、二一世紀を考える上での参考にしている。実は、村山氏が存命中唯一共著を出した相手が浅井隆先生で、ここではその関連書を参考にしながらその驚くべき内容を見て行くことにしよう。

では、そもそも「八〇〇年周期」とは何か。八〇〇年周期とは、人類の文明の歴史そのものが私たちに示す壮大な法則性である。そこで、八〇〇年周期についての解説をこの浅井隆先生の著書『9・11と金融危機はなぜ起きたか⁉〈上〉』（第二海援隊刊）から引用させていただくことにする。

その法則性とは、「東洋と西洋の文明は、八〇〇年ごとに盛衰を繰り返す」というものだ。東の文明が盛んな時、西の文明は衰え、西の文明が盛んな時は、東の文明は没落している。一方が光輝く時、一方は闇に包まれる。その新旧の文明交代が八〇〇年おきに交互に繰り返されているというのだ。

村山氏は、その文明のリズムをあらわす興味深い図版を私達に示した。そこには、スパイラル状に規則的な波が描かれていた。初めて見た人は、たぶん「あっ」と息をのむことだろう。

図版は後でご紹介するが、見れば東西文明の浮き沈みが一目でわかる。

しかも、どの時代においても東から西、西から東へと八〇〇年ごとに文明のバトンタッチが確かに行なわれている。その規則的な波のリズムは、人類文明が誕生した約六〇〇〇年前から現代に至るまで変わらず続いてきた。

史実は史実。偽らざる事実に他ならない。

＊　＊　＊

では、現代の私達はどんな時代を生きているのだろうか？

文明の波のうねりの、どの位置にいるのだろう？

その問いに対し、村山氏はこれから私達人類が体験するであろう重大な事実をメッセージとして口にした。

「今は、ちょうど東西の文明が交差する時期です」「文明の交差点……？」「そう。世界はすでに文明の交代期に入っています。西洋が世界のリーダーだった周期がそろそろ終焉を迎え、東洋にバトンが渡ろうとしているのです」

さらに、村山氏は恐るべきことを言い始めた。

「文明が交差する時期には、必ず大混乱が起こります。二一世紀は動乱と天変地異の時代となるでしょう」

東西文明の衝突、大帝国の崩壊、気候変動、そして、民族大移動、食糧危機……。村山氏は、二一世紀という文明の交差点で起こるであろう出来事を一つずつ挙げていった。

いくつかの重大なキーワードが私の頭の中を忙しく駆け巡った。これからの時代に、文明の衝突や民族大移動といったことが本当に起こるのだろうか？

とんでもない激動の時代がこの先に待っているのだろうか?

しかし、村山氏の言葉は脅かしでも預言でもない。歴史から統計的にはじきだされた予測であり、驚いたことに過去に〝例外〟は一つもなかった。つまり、どの時代の文明の転換点においても、必ず動乱や天変地異が起こっていたのだ。

しかも、今を生きる私達は、混乱のピークの真っ只中へ向かっているという。

これから、世界中が文明交代期特有の荒波の中に突入していく。

やがて東洋と西洋の立場が逆転する。

背筋がぞくっとするようなメッセージだが、そんな二一世紀への壮大なる警告を、村山氏は午後のおだやかな日差しのような口調で、気負わず、淡々と述べたのだった。

「先生、その大混乱を避けることはできますか?」「うーん、どうでしょう……。これはもう自然の法則、文明の法則なのでねぇ」

それから、数回の面会を重ねたが、最初の訪問から四年後、村山氏はひっそりと九一年の生涯を閉じた。

そして、彼の死と前後するように「9・11」は起こった。

全世界を震撼させた、あのアメリカ同時多発テロ事件。

奇しくも二一世紀の幕開けの年に、西洋文明の象徴、そして覇権国家アメリカの象徴であるワールドトレードセンタービルに巨大な旅客機が突っ込み、またたく間に崩れ去ったのである。

「二一世紀は動乱と天変地異の時代となるでしょう」

その言葉通りのことが、二一世紀の初めの年に起こってしまったのだ。イスラム原理主義勢力によるアメリカへの大規模なテロ攻撃の可能性は、以前から指摘されていたが、このような形のテロなど誰が予測できただろうか。ましてや、あの世界最高と評されたツインタワーが二棟とも崩れ去ってしまうとは。

なぜ、この時期に？

やはりこれは、文明の交代期に起こる大混乱の始まりを意味しているのだろうか？

それにしても、不思議と符合が一致する。村山氏の説によると、人類文明には「八〇〇年」という周期が存在し、八〇〇年ごとに東西が興隆と衰退を繰り返しながら進化してきたという。

東の文明が盛んな時は西が衰え、西の文明が盛んな時には東が衰える。一方に光が差せば一方が影となり、八〇〇年すると立場が逆転する。歴史を振り返ってみると、東西が同時に光輝いた時代もなければ、同時に闇に包まれた時代もない。必ず一方が明るい時は、一方は暗く沈んでいる。つまり、月の裏表と同じ理屈だ。

そして、東西の明暗は八〇〇年ごとにシーソーのように入れ替わる。もちろん、ある日突然に立場が逆転するわけではない。一〇〇年ほどかけて徐々にカ関係をシフトさせ、やがて入れ替わる。その約一〇〇年の文明の交代期には、地球規模の大動乱と民族大移動などが起こるという。そして私達は、今まさにその文明の交差点に立っているというのだ。

これまでの八〇〇年は、西洋が興隆した時代。言葉を変えれば、キリスト教徒が世界を支配してきた時代だった。覇権を握っているのは今も超大国アメリ力に他ならない。しかし、間もなく西洋の時代から東洋の時代へと場面は移り変わろうとしている。村山氏の予測では、今回の文明交代期は西暦二〇〇〇～二一〇〇年頃。つまり、二一世紀はまさしく文明の交代期、混乱の真っ只中という位置付けになるわけだ。その時期を待っていたかのように「9・11」が起こった。

「まさか、偶然だろう……」。私も最初はそう思いたかった。八〇〇年ごとにやってくる文明交代期の入口で「9・11テロ」が起こったと言われても、最初は誰でもピンとこない。

では、これを偶然の一致として片付けることができるのか？

＊　　＊　　＊

いずれにせよ、答えは「歴史」の中にある。

そこで、さっそく世界史の旅に出てみることにしよう。

まず、今から八〇〇年前、つまりワン・サイクル前の文明交代期に遡（さかのぼ）ってみる。一二〇〇年から一三〇〇年という一〇〇年間にはどんな出来事があったのだろうか。まったく不思議な話だが、今からほぼ八〇〇年前に今回の事件とはまったく逆のことが中東で起きていた。

あの「十字軍戦争」だ。日本は平安時代の後期で、徐々に武士の世に時代が移り変わろうとしていた頃。当時ヨーロッパで、ある日突然のように不思議な現象が起こった。キリスト教徒の若い男たちが、「聖地回復!」を大合唱しながら陸路東へ向かって進軍を開始したのだ。この遠征は一〇九六年から始まり、その後二世紀に亘って繰り返された。

目的は、もちろん東方の聖地・エルサレムをイスラム教徒から奪回することだった。エルサレムと言えばキリスト教、イスラム教、ユダヤ教の三大宗教の聖地だが、当時イスラム教徒のセルジューク朝(セルジューク・トルコ)に占領されたことに危機感を覚えたキリスト教徒が、「イスラム教徒には絶対聖地を渡せない!」と戦争を仕かけたのだ。この十字軍の遠征は、ヨーロッパ社会を大きく変えた。そして、大きく飛躍させた。

オリエント(東洋)のまばゆいばかりの文明の光を見てしまったヨーロッパ

の若き戦士達は、呆然とし、また大いに高揚した。勢い余ってたくさんの略奪(りゃくだつ)品と知識を持ち帰り、帰路の船内は略奪品で満杯になったと言われる。

　これを契機に地中海航路が始まる。その陸揚げ港だった水の都・ベネチアが貿易港として栄え、イタリア商人が力を得て都市も急成長を見せるのだ。東方の高度な文明と華やかな気分は西へ、西へと流れる。そして、暗黒の中世からようやく抜け出た西洋に光が一気に当たり始める。次第に富も蓄積され、ルネサンスが花開き、大航海時代へとコマを進めると、「東→西」という文明の流れはさらに勢いを増す。やがて、フィレンツェのメディチ家という一族がヨーロッパ中に銀行を作り、近代的な金融システムの芽が出始める。

　資本主義の誕生である。その後、年月の積み重ねと並行してヨーロッパの力は揺るぎないものになるが、元をたどれば、そのきっかけは十字軍の大遠征だったということになる。イタリア・ベネチアを訪れてみると、建築様式をはじめ、あらゆるところにアラビアの香りが感じられる。その香りは、八〇〇年前、そこがまさしく東西文明が交差する場所だったことを物語っている。

繰り返された「イスラム教原理主義」VS「キリスト教原理主義」の激突

八〇〇年という時代差がある「9・11テロ」と「十字軍」という二つの出来事は、まったく逆の現象でありながら時代背景などとりまく状況はよく似ている。では、何が〝逆〟なのかというと、攻撃を仕かけた側と仕かけられた側の関係だ。ごく単純に考えてみれば、「9・11」は、イスラム教徒が高度な文明をもったキリスト教徒に襲いかかった象徴的な出来事といえる。もっと言えば、野蛮なアラブ人どもが文明の繁栄を極めたキリスト教国の中枢に襲いかかったテロだ。時のブッシュ大統領は頑ななキリスト教徒ということを考え合わせれば、このテロは「キリスト教原理主義VSイスラム教原理主義」の激突と言っても過言ではない。しかも、そのテロの舞台は、ニューヨークというアメリカの象徴そのものだった。

一方、八〇〇年前に起こった十字軍の遠征では、野蛮なキリスト教徒どもが文明の繁栄を極めたアラビア地域に襲いかかっている。当時繁栄を極めていたアラビアの人々から見れば、暗黒時代をくぐりぬけてきた若きヨーロッパの兵士達は大変野蛮に映ったはずだ。この時の激突の舞台は、中東である。

つまり、文明の交代期という時代背景と、そこで起こった「文明VS野蛮」という激突パターンは同じだが、八〇〇年という時を経て攻撃する側、される側の力関係も、攻撃の舞台も東西が逆さまになっている。

もう一度、頭を整理してみよう。

野蛮なイスラム教徒が西の文明に襲いかかったのが、「9・11」。

野蛮なキリスト教徒が東の文明に襲いかかったのが、「十字軍戦争」。

この歴史的大事件は、今までの八〇〇年が西洋が興隆した時代だったこと、そして一つ前の八〇〇年というサイクルは東洋が興隆した時代だったことを示している。そして、文明の交差点を越えると主導権は入れ替わる。

十字軍の時代を越えると、中世の闇の中にあったヨーロッパは長い眠りから目覚め、強い東洋の時代が終わった。その後、東の文明に光が差すことはなく、壮大かつ華麗な文明を誇ったアラビア地域や中国はあっという間に没落して行く。しかも、十字軍に続いて東のモンゴル高原ではチンギス・ハーンが登場し、ユーラシア大陸全土を大混乱に陥れた。あれほどの栄華を誇った唐・宋の文明も野蛮なモンゴル遊牧民のパワーに呑み込まれ、元という軍事国家に変貌させられてしまう。つまり、この時期、「十字軍&チンギス・ハーンの大遠征」という二つの大津波により、世界は大揺れに揺れたことになる。

日本にもその激震はおよんだ。同じ頃、奈良・平安の貴族文明が源平合戦によって滅び、軍事力がすべてを支配する武士の世の中へ突入していくのだ。その直後にモンゴルが「元」という形で日本に襲いかかってくる。

歴史をさらに遡ってみると、十字軍に至るまでの八〇〇年というサイクルは、まさしく東方が光輝いていた時代だったことがわかる。アラビア地域ではイスラム帝国・アッバース朝などが栄え、数学、天文学、医学などを中心にイスラム文化が華を咲かせた。当時築かれた世界最高級の文化は、あの「アラビアン・ナイト」の中でも語り継がれている。

また、中国では中国史上最大の帝国「唐」が栄えた。つまり、この時代は、政治、文化、すべての水準において東洋が西洋をはるかに上回っていたのだ。

人口対比からもそのことがわかる。アッバース朝の首都・バグダッドにしても、唐の都・長安にしても人口一〇〇万を超える国際都市であり、世界の都として繁栄の頂点を極めていた。また、東南アジアにもボロブドゥール（インドネシア）、アンコールワット（カンボジア）などの独自の仏教文明が栄え、まさに「東方に光あり」の様相を呈していた。

その頃、一方のヨーロッパはどうだっただろう。なんと、信じられないほどの低迷を見せ、最悪の時には首都程度の大都市で人口五〇〇〇―六〇〇〇人。一般の集落で五〇～六〇人の人口しか養えないというありさまだった。

しかし、永遠の帝国も文明も存在しない。かつて歴史上に登場したすべての帝国がそうだったように、爛熟した文明はやがて陰りを見せ、徐々に弱体化して行く。その弱ったタイミングで、それまで暗黒の中にいた野蛮な力が津波のように襲いかかる。

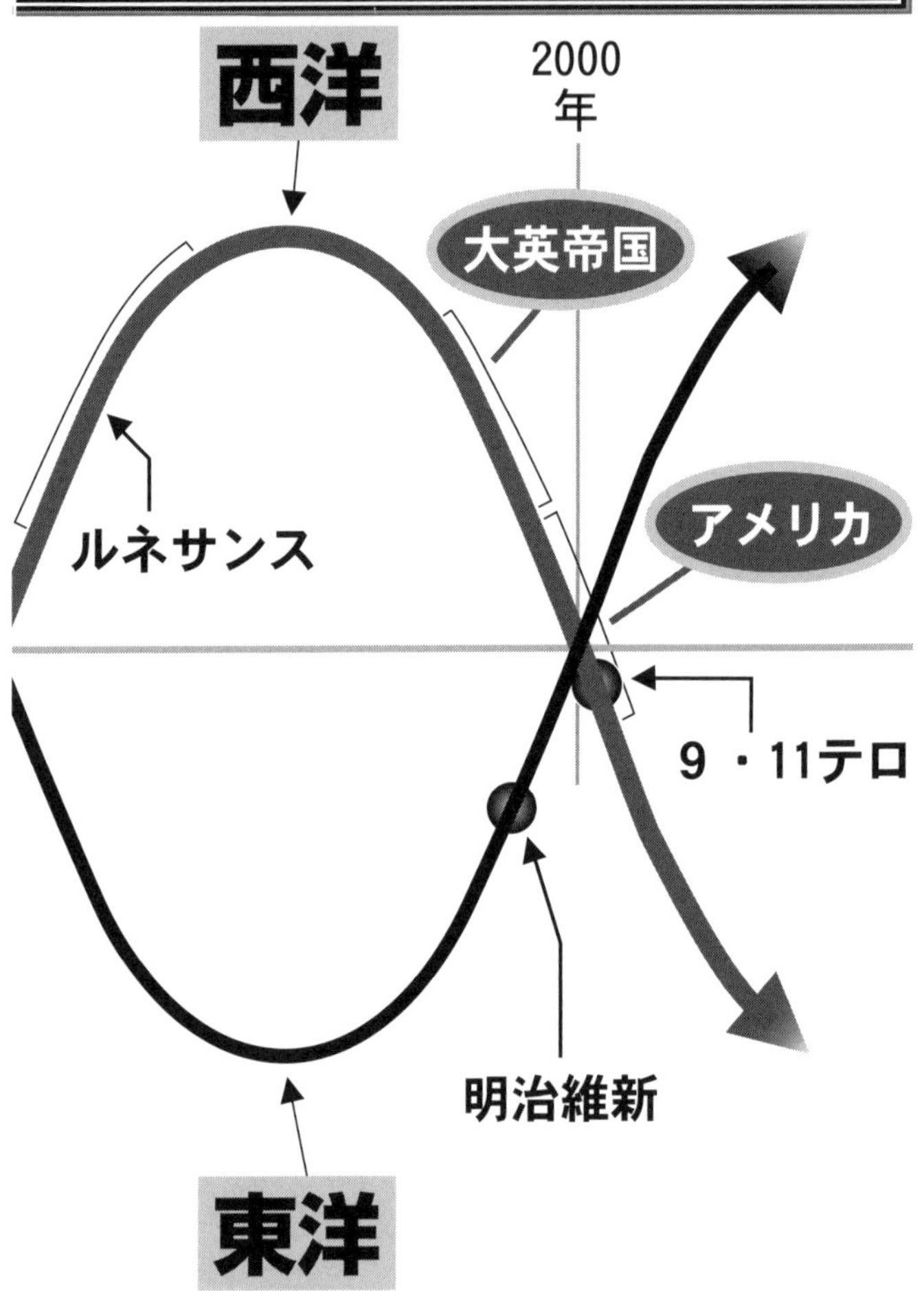
800年ごとに入れ替わってきた
西洋
2000
年
大英帝国
ルネサンス
アメリカ
9・11テロ
明治維新
東洋

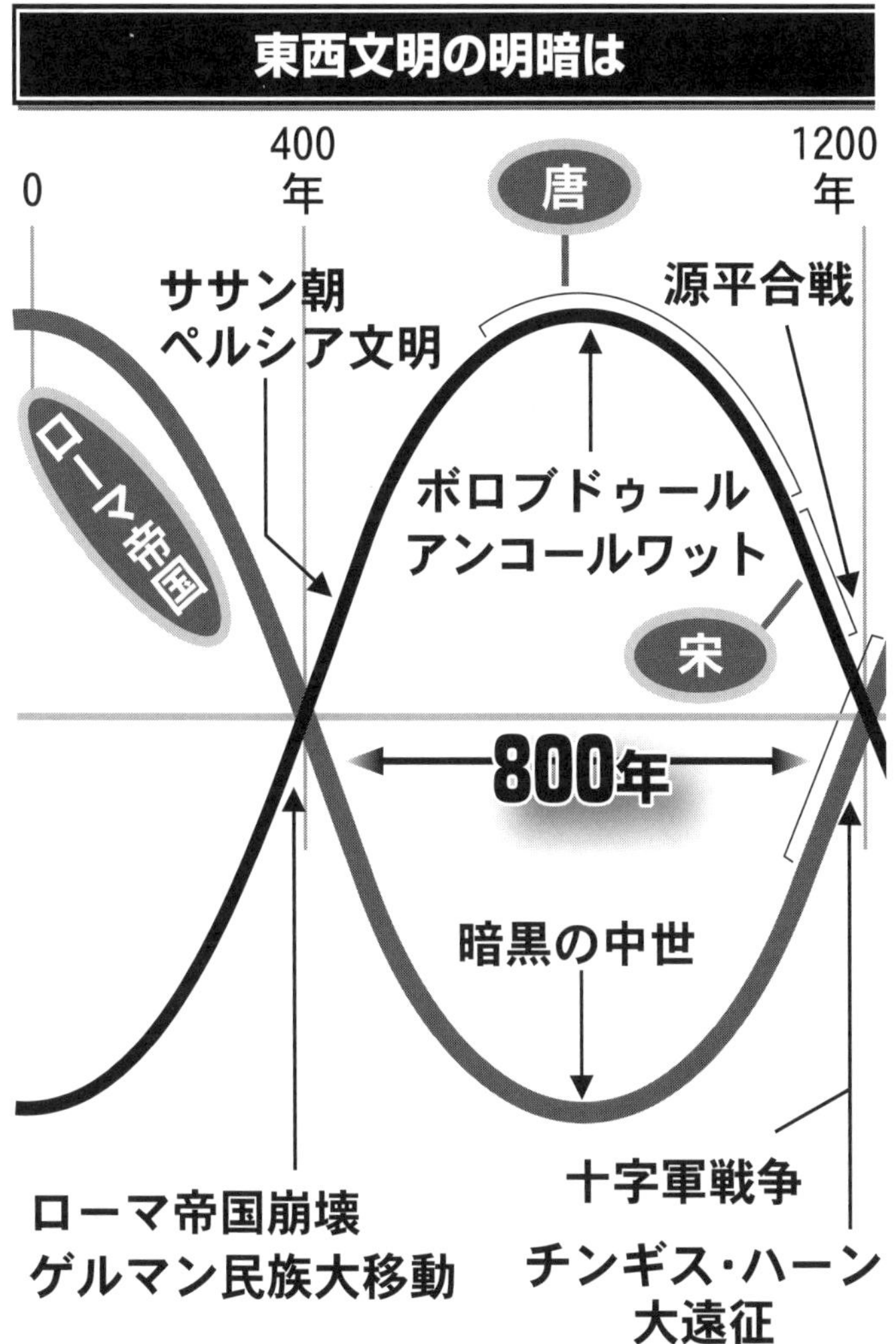
東西文明の明暗は
0
400
年
1200
年
唐
ササン朝
ペルシア文明
源平合戦
ローマ帝国
ボロブドゥール
アンコールワット
宋
800年
暗黒の中世
十字軍戦争
ローマ帝国崩壊
ゲルマン民族大移動
チンギス・ハーン
大遠征

十字軍では、「キリスト教VSイスラム教」の激突を境に、西が夜明けを迎えたが、不思議なのは十字軍の遠征が始まった時期だ。キリスト教の聖地エルサレム奪回という正義は以前からあったものの、この時期になぜ大挙してヨーロッパの騎士や若者の多くがアラビア地域へと自ら攻め込んだのか？　既存の学説では考えられない現象である。目に見えぬ巨大な力によって導かれたとしか説明がつかない現象であり、いまだに真相はよくわかっていないが、これを唯一説明できるのが本書の命題である「八〇〇年周期」という村山氏の学説である。八〇〇年周期で説明すれば、十字軍は文明交代期特有の「民族大移動」ととらえることができるのだ。

東西文明は八〇〇年ごとに興隆を繰り返す

十字軍という民族大移動を契機に、西の文明に光が差し込んだ。そしてルネサンスが花開く中で、ヨーロッパ人はふと気付く。「そうだ、ヨーロッパにも八〇〇年以上前には、ギリシア、ローマの壮大な文明があったではないか！」と。

つまり、正しく言えばこの時「西の文明に再びスイッチが入った」のである。その証拠に、十字軍の時代からさらに八〇〇年前（今から一六〇〇年前）の四―五世紀に遡ってみると、そこに巨大ローマ帝国末期の姿が見える。ということは、それ以前に西洋が興隆していたことを表す。実際、四―五世紀の文明の交代期以前には、ローマ帝国が世界史上に燦然と光輝いていた。

「すべての道はローマに通ず」と言われるほどの繁栄を極め、ほぼ四〇〇～五〇〇年間地中海に君臨し続けたが、その崩壊のドラマはあまりに劇的だった。ローマ市内には水道設備から大浴場まで巨大な公共施設が完備されていたが、これを維持するために国家財政が破綻し、超インフレの嵐が全土に荒れ狂っていた。文明が爛熟しきった帝国は、平和を謳歌し過ぎて軍事力も弱まって行く。そのタイミングで北方の蛮族だった青い目のゲルマン民族が食糧難に陥り、玉突き状態で民族大移動を起こしたのだ。武装難民と化したゲルマン民族は、大挙してローマ帝国内になだれを打って侵入。そう、ここでも「文明VS野蛮」の

隆盛と衰退が入れ替わる

（美術、芸術の隆昌）　（学術、科学技術、機械と工業化）

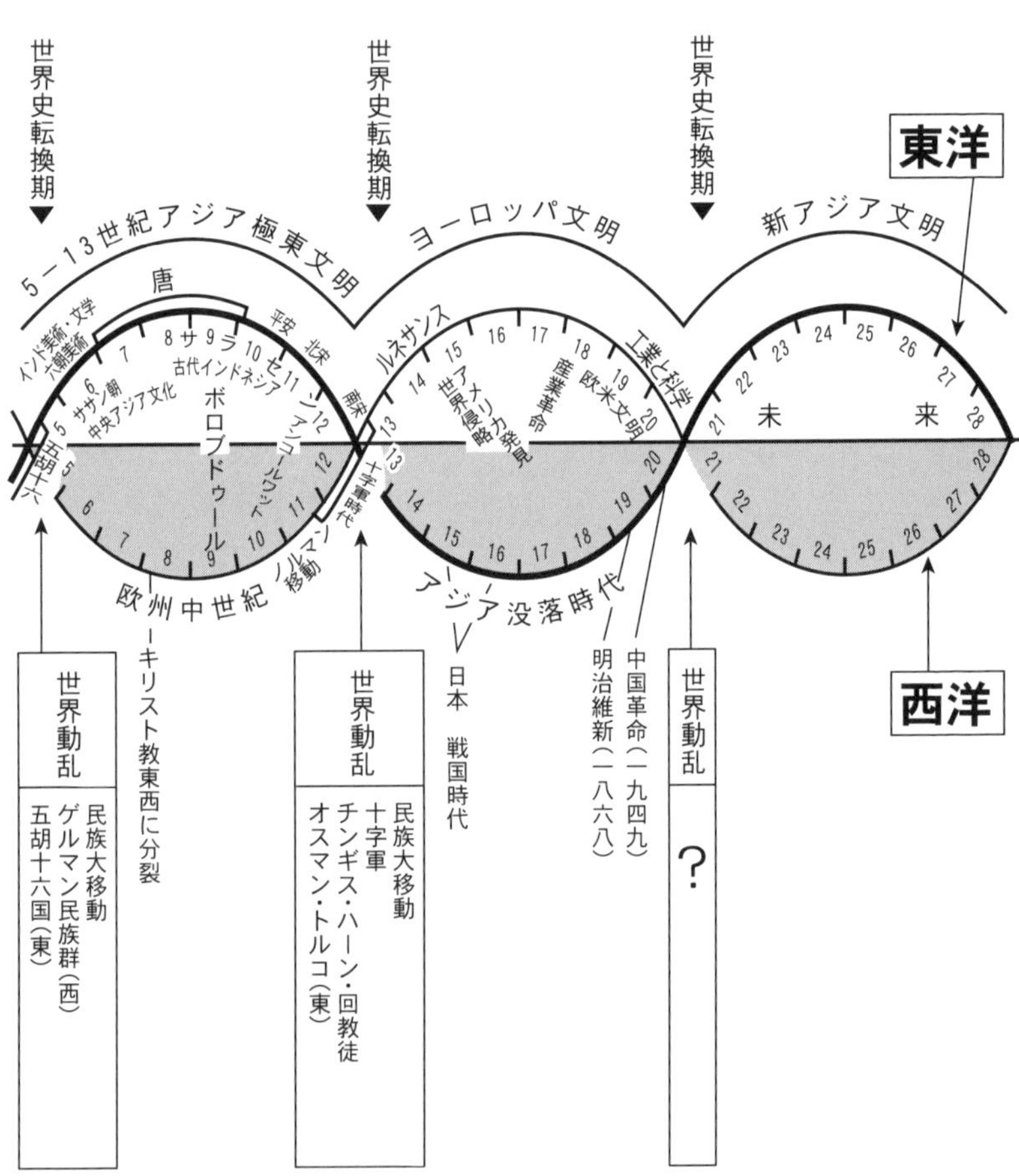

東洋と西洋の文明は800年ごとに

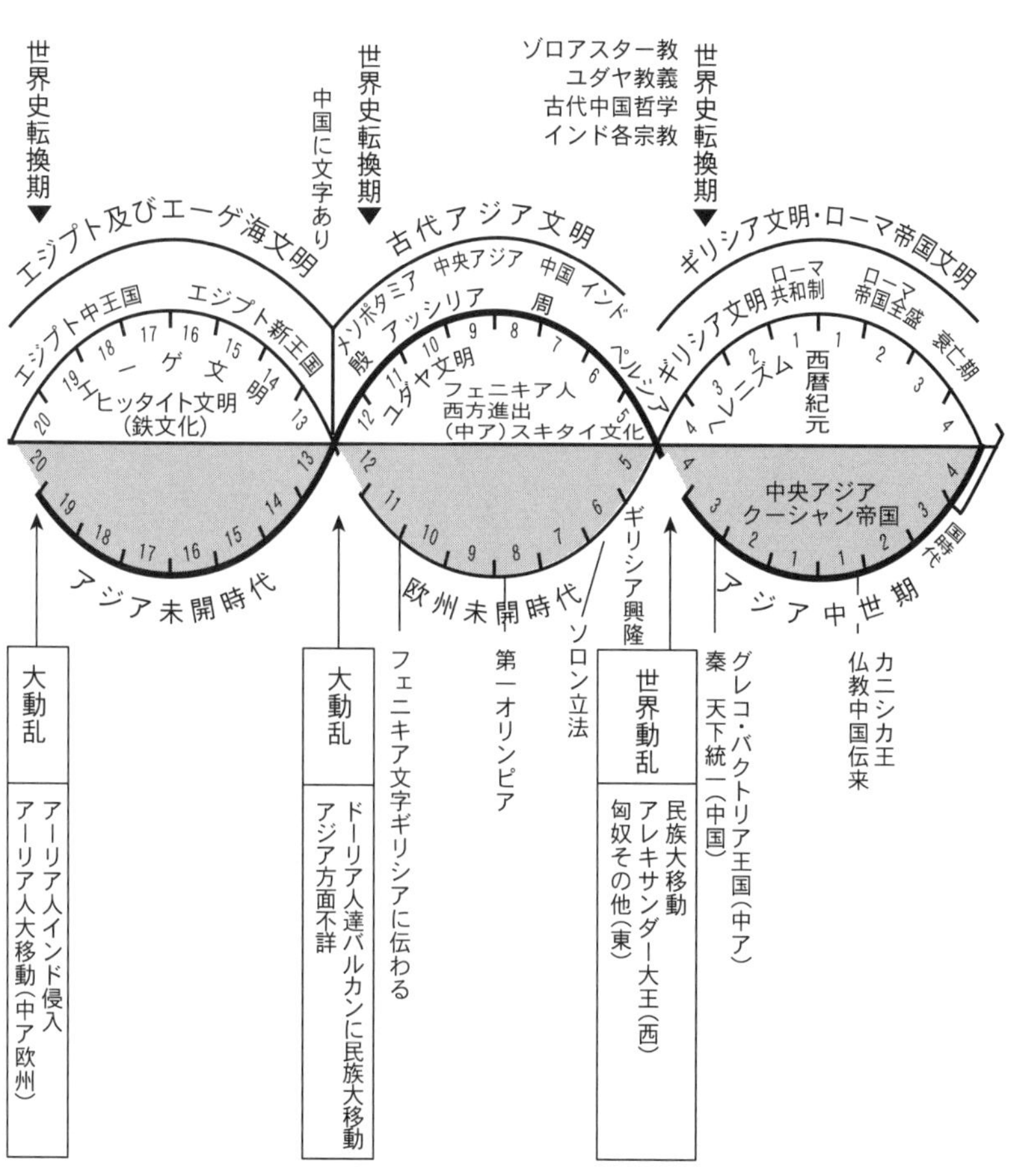

激突が起こっていた。

かくして、地中海全体を手中にした壮大な帝国も、一部が東ローマ帝国（ビザンツ帝国）として残っただけで、この世からあっという間に消滅してしまう。ある歴史学者の試算によると、全盛期のローマ文明の情報量を一〇〇とすれば、崩壊後はそのわずか五％しかヨーロッパに残らず、残りの九五％は東ローマ帝国経由でアラビアから東洋へと伝わったという。

ローマ帝国没落の一方、東洋は中国の五胡十六国の乱などを経て、この頃から興隆し始める。中央アジアにはササン朝ペルシア文明が芽生え、インドは夜明け前。ゲルマン民族の大移動を契機に、ギリシア、ローマ（つまり西）が主役だった八〇〇年が終わり、東の文明にスイッチが入ったのだ。

この西暦四〇〇―五〇〇年という転換期においては、十字軍の頃とは逆に「西→東」という文明交代が行なわれたことがわかる。ローマ帝国が崩壊した頃、日本は大和時代。まだ聖徳太子が登場する一〇〇年以上前だった。

＊　＊　＊

しかも、物語はまだ続く。この八〇〇年周期の中に、さらに「覇権の移行」という、国家間のパワーの移動が隠されているのだ。現在、世界中の人々の注目を集めている米中のパワーゲームも、まさにこの「覇権の移行」なのだ。

覇権は移動する

今回の西洋が世界を支配した八〇〇年間（一三〜二〇世紀）には、世界を牛耳るほどの覇権大国は、五つ登場した。まず、一四三ページの図を見ていただきたい。欧州歴史の発祥の地である「ギリシャ」からスタートすると、「古代ローマ」→「ササン朝ペルシア」「唐」「ベネチア」「スペイン」（ポルトガル）「オランダ」「大英帝国（イギリス）」「アメリカ」と、数百年単位で覇権が移っているのがわかる。

このように見ると、現在アメリカが絶対王者のように覇権大国の地位に君臨しているように思えてしまうが、それは決して永遠のものではないということがわかる。後一〇〇年、いや数十年のうちにアメリカは別の超大国にその地位を脅かされる時が来るだろう。その超大国とは「中国」のことであり、これからやって来るターニングポイントではアメリカから中国への覇権の移行が起きると予見できる。私もこの覇権の移行について何の異論もなく、まさにこの通りに歴史が移り変わって行くとつくづく同感している。

覇権の移行について国名だけを羅列すると、まるでリレーのバトン渡しのようにいとも簡単に覇権が移って来た印象になるが、それでは誤解を与えてしまいかねない。実際には、その覇権の移行の裏には必ず血なまぐさい戦争の歴史が隠れている。オランダ→イギリス→アメリカの覇権の移行を例に、実際にどのようなことが背後で起こって来たのかを見ておこう。

オランダからイギリスへ覇権が移ったのは、一七世紀後半から制海権を巡って起こった「英蘭戦争」の結果である。この三度に亘る戦争により制海権がイギリスに完全に移り、その後イギリスは未曽有の繁栄を迎えることとなる。イギリスが覇権国の座に着いていたのは、一八世紀後半から二〇世紀前半までの

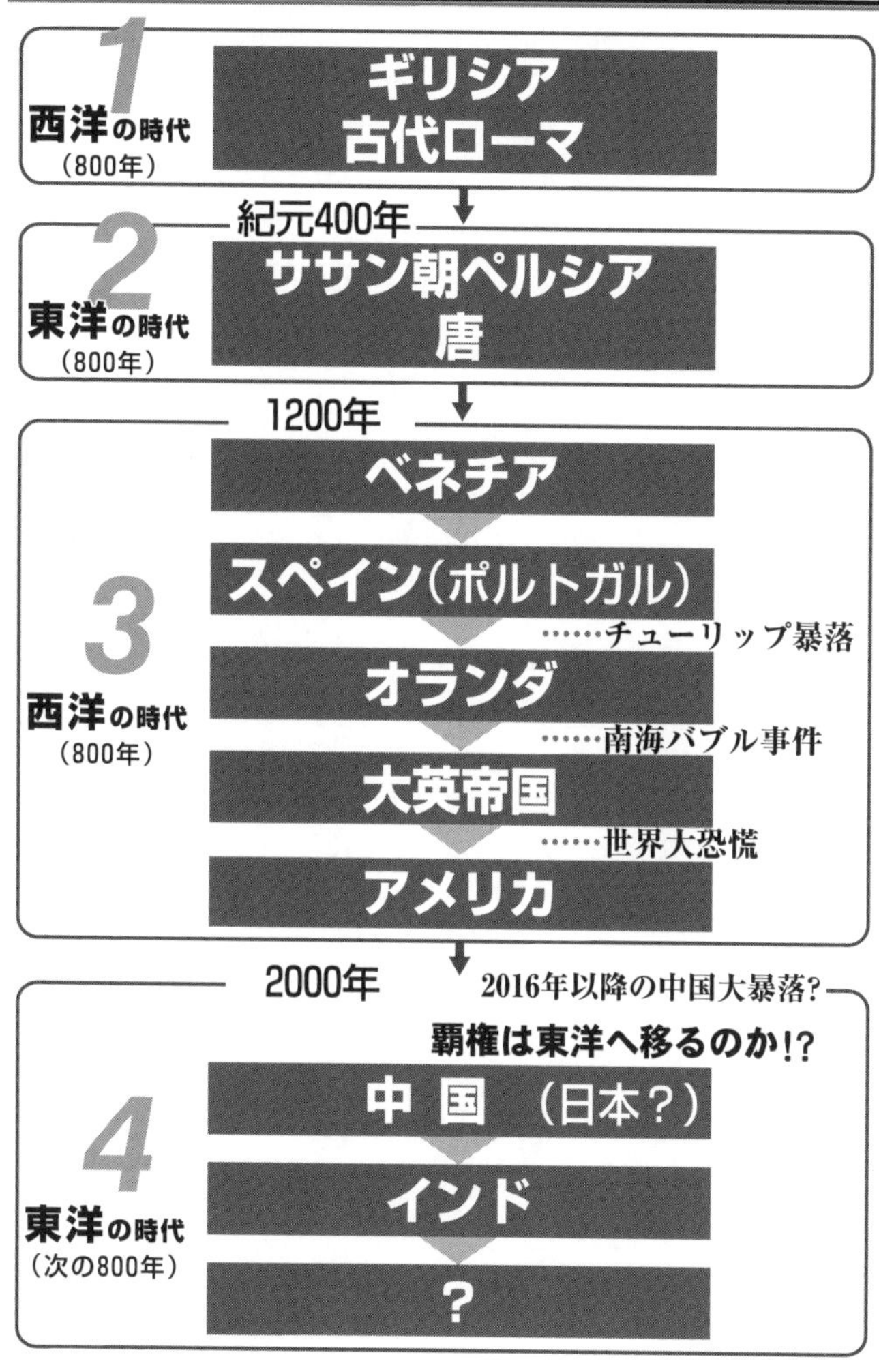
覇権は800年の波の中で国家間を移動
1
西洋の時代
（800年）
ギリシア
古代ローマ
紀元400年
2
東洋の時代
（800年）
ササン朝ペルシア
唐
1200年
3
西洋の時代
（800年）
ベネチア
スペイン（ポルトガル）
……チューリップ暴落
オランダ
……南海バブル事件
大英帝国
……世界大恐慌
アメリカ
2000年
2016年以降の中国大暴落？
覇権は東洋へ移るのか!?
4
東洋の時代
（次の800年）
中 国　（日本？）
インド
？

時代である。この間、イギリスでは特に繁栄を極めた二つの時期があり、一つは一七六三―一八三三年の「イギリス第一帝国」、そしてもう一つは一八三七年―第一次世界大戦までの「イギリス第二帝国」の時代であった。

イギリス第一帝国が始まった一七六三年は、北米大陸における植民地を巡るイギリスとフランスの戦争でイギリスが勝利を収めたことによる。これにより、イギリスの植民地大国の地位が確立されたのだ。しかしそれも束の間、一七七五年から始まったアメリカ独立戦争によりイギリスはその立場が揺らぐ。一七八三年の「パリ条約」でイギリスがアメリカの独立を認め、その他のいくつかの植民地を手放したことにより、イギリスの一つ目の繁栄した時期である第一帝国が崩壊したのだ。

その後イギリスは、フランス革命の混乱時に登場したナポレオンの手により散々苦しめられたが、ナポレオン没落後に再び勢いを取り戻した。イギリスはいち早く達成した「産業革命」により「世界の工場」の地位を確立させ、同時期に再び植民地を拡大、第二帝国を形成している。これはヴィクトリア女王が国を統治した一八三七年からスタートし、まさに「大英帝国」の名にふさわしい繁栄を見せた。それがまたも第一次世界大戦という戦乱により、大転換したのである。イギリスがその大戦において大きく疲弊したことで、すでにイギリスの経済規模を抜いていたアメリカに覇権が移ることになった。

このように、覇権が移行する過程においては必ず「戦争」が発生している。そして、その戦争において覇権国の力が奪われ地位が低下することによって次の覇権国が台頭する、という構造になっている。しかも、覇権の移行をその二国間で確認すると、移行前にその覇権の譲り手と受け手の国同士で直接対決が発生しているところも実に興味深い。オランダからイギリスへの移行時には英蘭戦争があり、イギリスからアメリカへの覇権移行が行なわれる前には、少し早い時期ではあるが「アメリカ独立戦争」という形で直接対決が実現されている。そして、その戦いの勝者が次の覇権を受け継いでいるのである。

第二次世界大戦後、特に日本においては憲法第九条による戦争放棄・戦力不保持・交戦権否認があり、しかも史上空前の高度経済成長を遂げた。二〇世紀末期にはバブル絶頂期を迎え、戦争という空気が日常から完全になくなってしまっている。ほとんどの日本人は、戦争と言われてもピンと来ないだろう。しかし第二次世界大戦後も、世界ではどこかしこで紛争の火種が燻(くすぶ)っており、時折大きな衝突が発生して来た。そしてその流れは二一世紀になっても止むことがなく、それどころかさらに激化さえし、常に火の手が上がっているように感じる。

戦争で幕を開けた「二一世紀」

あの日は帰宅後、ちょうど自宅のソファーでくつろいでいた時だった。お酒を片手にテレビのリモコンをつけると、画面にはアメリカのニューヨーク市、マンハッタンのシンボルであるワールドトレードセンターが映し出されていた。しかし、いつもと様子が異なる。一つのビルには見た目にもわかるほどの穴が空いており、そこからもうもうと黒い煙が立ち上っている。現場は混乱し、人々は逃げ惑い、または呆然とビルを見上げている。救急か消防の車が、急いで現場に駆け付けようとしている。食い入るように見ていると、ふとした瞬間に画面が変わり、再度映し出された二本のビルの今度は無傷であった方に、まさに今飛んでいた飛行機が吸い込まれるように衝突したのである。まるで特撮映画を見ているような光景であったが、それはまさに現実であり、しかもリアルタイムで起きていることであった。二〇〇一年九月一一日、「アメリカ同時多発テロ」が起きた日のことである。

ハイジャックされた機体は合計四機、うち二機は先ほどのワールドトレードセンターに激突し、残り二機のうち一機はペンシルベニア州のピッツバーグ郊外に墜落している。そしてもう一機は、なんとアメリカの最高軍事機関であるペンタゴン（国防総省本庁舎）の西壁に突撃、かなりの被害を出したのだ。

このテロは、アメリカが史上初めて本土の中枢部を攻撃された出来事であり、アメリカの威信を大きく揺るがした。そして死者数約三〇〇〇人、負傷者二万五〇〇〇人以上と、テロの範疇（はんちゅう）を大きく上回る、あまりにも多過ぎる犠牲者を記録した。二一世紀になり、一年も経たないうちの出来事であった。

もちろんアメリカがやられっぱなしで終わるはずはない。テロを起こしたアルカイダの身柄引き渡しを、アフガニスタンの武装勢力〝タリバン〟に要請した。するとタリバンはそれを拒否、アメリカはアルカイダと武装勢力タリバンに対して報復の軍事行動を起こすこととなった。アメリカ同時多発テロから一ヵ月も経たない二〇〇一年一〇月七日に始まったこの戦争を、アメリカは結果としてなんと約二〇年間、二〇二一年八月三一日まで続けることとなった。

実は、これは一九五五―七五年に亘って行なわれたベトナム戦争よりも五ヵ月長く、〝アメリカの軍事史上最長の戦争〟になったのである。しかも、である。アメリカは一時的に勝利を収めタリバン政権を崩壊・降伏させたにも関わらず、アフガニスタンではその後に治安が極度に悪化したことでタリバンが息を吹き返し、実権を掌握（しょうあく）したのだ。そして手に負えなくなったアメリカは、タリバンと撤退合意を結び、二〇二一年八月末にアメリカ軍が全軍撤退することになった。結果、タリバンはアフガニスタン全土を掌握し、政権を奪還（だっかん）したのである。

アメリカはアフガニスタンでの戦争によりアルカイダ組織を壊滅させたが、タリバンに対しては実質敗戦し、撤退を余儀なくされているのだ。

アメリカは二〇年間で二二〇兆円もの国費を費やしたにも関わらず、期待した戦果を得ることができなかった。ベトナム戦争で犯した過ちを、アフガニスタンで再現してしまったのである。

このアフガニスタンでの紛争の間、アメリカはもう一つ「イラク戦争」を行なっている。この戦争は一九九〇―九一年に起きた湾岸戦争の延長線にあるものだが、同時多発テロが生み出した対テロ戦争の一環でもあった。このようにしてみると、二一世紀は同時多発テロから始まり、アメリカはそこから二〇年もの長期に亘る「対テロ戦」を強いられて来たのである。その長引く戦争を終結させるためにも、オバマ大統領は二〇一三年九月に「アメリカは世界の警察官ではない」と宣言したが、それによりアメリカの国際社会への影響力は格段に低下した。結果、新たな戦争を呼び起こすことにもなった。

アメリカが〝世界の警察〟から降りる宣言をした翌年、二〇一四年に起きたのがロシアによる「クリミア併合」である。ロシアは国際的な非難を浴びながらも、現地の住民投票によりクリミア半島を併合してしまった。そしてその続きが、二〇二二年二月に突如として起きたロシアによる「ウクライナ侵攻」である。二〇一四年のクリミア併合時に行なった「ハイブリッド戦争」(通常の戦争に加えて、サイバー戦や情報戦、心理戦などを組み合わせて行なう戦争)が見事に上手く行ったことと元々の軍事力の差から、当初ロシアは短期での勝利を確信していたという。ところが蓋を開けてみれば、二年経過した現在に至るまで紛争は続いている。さらに、二〇二三年一〇月から始まった「パレスチナ・イスラエル戦争」も忘れてはいけない。一〇月七日、パレスチナの武装組織ハマスが突如イスラエルへ攻撃を仕かけたことにより勃発したこの戦争も、いまだに解決の糸口は見付かっていない。

ここで注目すべき点は、二一世紀に入ってから毎年途切れることなく、戦争や紛争が続いているということである。特に、覇権国であるアメリカは二〇〇一年から二〇年も戦闘を続け、戦費など大きな負担を強いられて来た。結果、世界の警察から手を引き、国際的な地位を著しく落とすことになった。

過去、戦争により覇権国の地位が低下した時、覇権の移行が行なわれている。現在、絶対王者のごとく世界に君臨しているように見えるアメリカであるが、すでに覇権の移行は始まりつつあるのかもしれない。これまでは覇権の移行が行なわれる時、覇権を争う両国間の直接対決が行なわれて来た。もし、アメリカから中国への覇権の移行が行なわれるのであれば、近いうちにアメリカと中国が戦争状態に突入する可能性すらある。それは、「台湾有事」という形で表面化するのかもしれない。

異変を来たす「地球の営み」

二一世紀に入り、絶え間なく続く戦火の様子を述べたが、激化しているのは戦争という人類の営みだけではなさそうだ。

実は、二一世紀に入ってから、どうも〝地球の活動〟が活発化しているきらいがある。二〇二四年一月一日、日本では元日から「能登半島地震」という未曽有の災害に見舞われた。地震の規模を示すマグニチュードは七・六で、最大震度は上限の七を記録した。倒壊した建物も多く、沿岸部では津波の被害が発生している。最近の出来事だから、その被害の規模は連日の報道で記憶に新しいことだろう。

ところが、その能登半島地震の規模をさらに上回る、マグニチュード八・〇以上の大地震が二一世紀になり多発していることに、私たちはもっと注目すべきである。二一世紀になってから発生したマグニチュード八・〇以上の地震を一五五ページに一覧表にまとめているのでそちらで確認してほしい。それで見ると、二〇二四年三月末までにマグニチュード八・〇以上の地震は合計二六回起きている。そのうち、一世紀の間に一—三回程度起きるとされるマグニチュード九・〇以上の地震が、二〇〇四年一二月二六日インドネシア・スマトラ島沖地震と二〇一一年三月一一日東日本大震災と、すでに二回も起きている。

地震と連動して発生するのが津波で、特に大きな被害が出たのはやはり先ほどのマグニチュード九・〇以上の地震で、スマトラ島沖地震では最大遡上高（そじょうこう）（陸地に駆け上がった際の最大到達高度）三五メートル、東日本大震災では最大遡上高四〇・五メートルの巨大津波が、それぞれ発生している。

　地球の活動、中でも天災は「地震」や「津波」の他、「暴風」（台風やハリケーン）「豪雨」「豪雪」「洪水」などの異常な自然現象がいくつも挙げられるが、忘れてはいけないのは「火山の噴火」である。

　その火山の噴火について気になる山が三つある。一つはすでに触れている「富士山」だ。ここで再度簡単に記載しておくが、富士山はご存じの通り休火山である。いまだに現役の火山で、前回噴火したのが今から三〇〇年ほど前の一七〇七年宝永の噴火である。これだけ長期で噴火の記録がないのは初めてで、その分相当なマグマがたまっていると考えられる。いつ噴火してもおかしくなく、富士山が大噴火となれば日本は未曾有のダメージを受ける。残り二つの火山は、アイスランドとイタリアの話である。

　アイスランドは、〝火山の国〟とよく言われる。北アメリカプレートとユーラシアプレートにまたがる島で、その境目の中央大西洋海嶺の地溝帯と呼ばれる割れ目の谷があり、その谷が島の南西から北西にかけて火山帯として連なっている。休火山、活火山含め一三〇ほどの火山があり、まさに火山の上に乗っかっている国なのである。

その火山に、最近動きが見られた。二〇二三年一一月、グリンダヴィークの町において突然道路に巨大なひび割れができ、周辺の至るところから大量の水蒸気が吹き上がったのだ。普段から火山活動が珍しくないアイスランドではあるが、これまでは人里離れた場所で起きることがほとんどで、住宅街での突如の出来事に住民はパニックに陥ったという。火山を原因とする地震が四八時間で一一〇〇回以上も観測され、政府は緊急事態を宣言、町に住む四〇〇〇人すべてに避難を促した。全員が避難した後に町は封鎖されたが、その翌月一二月に大規模な噴火が発生している。そして、明けて二〇二四年一月再び噴火し、ついに溶岩(ようがん)が町に到達、住宅から火の手が上がったりしている。

今のところ今回の噴火は他国また世界に影響を与える規模ではないが、二〇

21世紀になってから発生したM8.0以上の地震

日付	地震の場所	マグニチュード
2021年 7月29日	アリューシャン列島、アメリカ・アラスカ半島	8.2
2021年 3月 5日	南太平洋・ケルマデック諸島	8.1
2019年 5月26日	南米・ペルー北部	8.0
2018年 9月 7日	南太平洋・フィジー諸島	8.1
2018年 8月19日	南太平洋・フィジー諸島	8.2
2017年 9月 8日	メキシコ・チアパス州沖	8.2
2017年 1月22日	ソロモン諸島	8.4
2015年 9月16日	チリ・イヤペル地震	8.3
2015年 5月30日	日本・小笠原諸島西方沖	8.5
2014年 6月24日	アリューシャン列島	8.0
2014年 4月 1日	チリ・イキケ地震	8.2
2013年 5月24日	ロシア・サハリン近海	8.2
2013年 2月 6日	ソロモン諸島付近	8.0
2012年 4月11日	インドネシア・スマトラ島沖地震	8.7
2011年 3月11日	日本・東日本大震災	9.0
2010年 2月27日	チリ・マウレ地震	8.8
2009年 9月29日	サモア沖地震	8.1
2008年 5月12日	中国・四川大地震	8.0
2007年 9月12日	インドネシア・スマトラ島沖地震	8.5
2007年 8月15日	ペルー地震	8.0
2007年 4月 2日	南太平洋・ソロモン諸島	8.1
2005年 3月28日	インドネシア・スマトラ島沖地震	8.6
2004年12月26日	インドネシア・スマトラ島沖地震	9.1
2003年 9月26日	日本・十勝沖地震	8.0
2001年11月14日	チベット北部	8.1
2001年 6月 4日	ペルー地震	8.4

(2024年3月現在)

一〇年「アイスランドのエイヤフィヤトラヨークトルの噴火」では、ヨーロッパの航空運航に重大な混乱が生じた。

また、今から二〇〇年以上前の一七八四年の「ラキ火山大噴火」では、その後数年に亘ってヨーロッパに低温・多雨などの異常気象をもたらし、食糧不足の原因になった。それが〝フランス革命の遠因〟となったわけで、このように歴史にも影響を与えるアイスランドの大規模な火山活動には、今後も注意しておく必要がある。あの時ラキ火山が噴火していなければ、マリー・アントワネットが断頭台の露と消えることもなかったのだ。

もう一つのイタリアの火山の方は、今は富士山と同じく穏やかな様子を保っている。しかし、二〇一六年一二月二〇日付の科学誌「ネイチャー」に掲載された論文によると、その火山が実はとんでもない状態であるという。

それは、人口三〇〇万人が住むイタリア第三の都市、ナポリの西部にある大規模な火山性カルデラ盆地、「カンピ・フレグレイ」のことだ。その地下にある超巨大火山（スーパーボルケーノ）が五〇〇〇年の休止状態を終えて、噴火間近の臨界状態にあるという。

カンピ・フレグレイはイタリア語で〝燃える平原〟を意味し、そのカルデラは直径一〇キロを超える巨大なものである。カンピ・フレグレイが巨大なカルデラを持つようになったのは二〇万年前の大噴火によるもので、これはヨーロッパ史上で最大の火山活動とされている。そして、四万年前にも大規模な噴火をしており、一説にはこの噴火が当時欧州全域を住処としていた〝ネアンデルタール人の絶滅〟をもたらしたという。もし、今このカンピ・フレグレイが本格的に噴火すれば、恐ろしいことにナポリを飲み込む規模で溶岩が拡がる予想が立てられている。当然ナポリは全滅となり、イタリアも国としての体を保つことができるかどうか疑問である。もちろん、欧州または世界に甚大な被害を与えることになり、最も要注意な火山の一つである。

今回は気になる三つの火山を取り上げたが、他にも世界の至るところに火山はあるわけで、規模的な影響を考えると地震よりも恐ろしい存在と言えそうである。

ここまで「天災」という地球の営みを見て来たが、その地球の営みについて最近少し気になる事象が発生している。それは、「気候変動」の問題である。

さて、そこで質問だ。真冬の時期、札幌とロンドンとではどちらが寒いだろうか。これはご存じの通り札幌の方が寒く、一月や二月の年平均の最高気温はマイナスである。一方のロンドンは、年平均の最低気温でマイナスになる時期がない。ではどちらが北にあるかと言えば、これはロンドンの方で北緯が五一度、それに対して札幌が北緯四三度と、かなり位置が異なる。

不思議に思われないだろうか。北極に近ければ近いほど寒いはずが、実際には北極に近いロンドンよりもそうでない札幌の方が寒い。実は、これには世界規模で循環している海流が深く関係している。

地球の巨大なメカニズムとして、海水が長い時間をかけて世界全体の海洋を大きく循環している。これを〝海洋大循環〟と呼び、暖かい海流と冷たい海流とが入れ変わりながら二〇〇〇年かけて一巡するという壮大なスケールのものである。この「暖かい海流」が、南大西洋（アフリカの横）から北大西洋（欧州の横）に北上する形で流れており、グリーンランド沖で沈み込み「冷たい海流」に変わっている。この暖かい海流により、欧州そしてロンドンは札幌よりも北緯が高いにも関わらず最低気温がそれほど低くならないのである。

ここからが深刻な問題であるが、実はこの地球全体の気候に密接に関わっている海流、特に「メキシコ湾流」を含む大西洋の海流が、最近の研究で弱まって来ていることがわかったのである。それに関して、コペンハーゲン大学の物理気候学者であるピーター・ディトレフセン教授らが二〇二三年七月二五日、英科学誌「ネイチャー」に論文を発表している。

内容は衝撃的で、一八七〇―二〇二〇年の一五〇年のデータを分析した結果、メキシコ湾流を含む大西洋の海流である〝南北循環（ＡＭＯＣ）〟が弱まって来ており、早ければ二〇二五年に停止する可能性があるというのだ。研究チームが発表した信頼性の高い予測では、早ければ二〇二五年、遅くとも二〇九五年に停止し得るもので、可能性が最も高いのは二〇三九―七〇年のどこかだという。いずれにしても、二一世紀の中で起こる可能性が極めて高いのである。

もし循環が崩れた場合、寒冷化の危機

赤道直下（熱せられた海水）→メキシコ湾→アメリカ→カナダと北米大陸東岸に沿って進み、大西洋を横断。イギリス→ノルウェー→北極圏（海水が急激に冷却＋塩分濃度が高くなり、海底へ）。ここで湾流の流れがUターン。海底を北米大陸に沿って南下。グリーンランド→カナダ→アメリカ・ワシントン→キューバ→ブラジル→アルゼンチン→南極圏。東へと方向転換。南アフリカ沖→インド洋→オーストラリア→太平洋を北上→日本とハワイの中間地点へ

米コロンビア大学の地球化学者ウォーレス・ブロッカー博士が提唱した「コンベアベルト」の図を基に作成

では、〝南北循環〟が止まるとどうなるのか。実は、今から一万二〇〇〇年前にこの循環が停止して、北半球の気温が大きく低下したことがある。なぜこのようなことがわかるのかと言えば、一九九〇年から始まったプロジェクトでグリーンランドの氷床をボーリングし、その氷柱を分析することで地球の気候変動を研究しているのである（グリーンランド氷床コアプロジェクト、通称ＧＲＩＰ）。これによって、約二五万年前までの各時代の気温から気象の状況までがかなり正確にわかるようになったのである。

その科学的な調査を基にすると、〝南北循環〟が停止したならば、地球規模での劇的な気候変動を覚悟した方がよい。ロンドンと札幌では、北緯の高いロンドンの方が気温は低くなるだろう。北半球では一〇年程度の時間をかけて、今よりも一〇―一五度気温が低くなる可能性がある。他にも北米の一部で干ばつと激しい暑さになり、南太平洋では強烈なモンスーンと洪水が想定されている。もちろんそれだけではすまず、ありとあらゆる地域で劇的な変化が起こる。論文を発表したディトレフセン教授は、ＣＮＮのインタビューに自身の研究結果に対して「実に恐ろしい。軽々しく論文に書くような話ではない」と最上級の警告をしているほどだ。

そんな恐ろしい未来が、早ければ二〇二五年にやって来るのである。

トランプ大統領誕生の果てに

ここまで、覇権の移行や地球規模での気候変動と少しスパンの長い視点からお話して来たので、今度は目先の二〇二四年に焦点を当てよう。

話題は、再び人類の営みに戻る。二〇二四年最大のイベントと言えば、「米大統領選挙」である。二〇二四年一一月五日の選挙に向けて、候補者の話題が多くなって来ている中、現在のところ民主党からは現職のバイデン氏が、そして共和党ではトランプ氏が有力な候補者となっている。

この対決は前回二〇二〇年と同じで、大統領選挙再戦の様相を見せている。現状まではトランプ氏が先に動き始めリードを奪い、それにバイデン氏が追い付こうとする格好で、一月末時点での民間調査会社の世論調査ではトランプ氏が〝やや優勢〟を保っている。もし、このリードのままトランプ氏が大統領になれば、思い起こされるのは「アメリカ・ファースト」の言葉である。

「アメリカ・ファースト」とは、「アメリカ第一主義」のことである。このように書くと「アメリカ大統領がアメリカを第一に考えて何が悪い」となるが、実態は「アメリカ一国主義」を強調するもので、アメリカの国際的孤立を促す主張である。実際に「アメリカ・ファースト」を唱えて二〇一六年に大統領選挙を勝利したトランプ氏は、その任期中に多くの国際組織や条約・協定から脱退または脱退決定をしている。主に脱退した組織や条約、協定を列挙すると、「WHO（世界保健機関）」「パリ協定」「国連人権理事会」「環太平洋経済連携協定（TPP）」「イラン核合意」「中距離核戦力全廃条約（INF）」「ユネスコ（国際連合教育科学文化機関）」などである。そしてそれは軍事にも現れており、前述の米軍のアフガニスタン撤退を決めたのもトランプ氏である。

トランプ氏の「アメリカ・ファースト」のスタンスに特に変更はなく、今回二〇二四年の選挙でトランプ大統領誕生となれば前回の政策を踏襲すると考えられる。すでにトランプ氏は、公約に「すべての輸入品に一〇％の関税をかける」と語っており、しかも中国からの輸入品に対してはすべての品物に六〇％超の関税を検討しているという。もし、アメリカがこのような関税を取り入れれば、世界は一九三〇年代の〝ブロック経済〟に逆戻りし世界中が大混乱、そしてその結果として起きた、〝世界大戦〟への道へと突き進んで行くことになるかもしれない。何より、中国が六〇％超も関税をかけられて黙っているはずがない。アメリカのトランプ大統領と対峙するのは、異例の三期目を遂行する習近平国家主席である。どちらも独裁色が濃く、強力な個性を持つ役者である。

トランプ氏が考えるのは、関税だけではない。トランプ氏はＮＡＴＯ（北大西洋条約機構）からの脱退を検討しており、それどころかウクライナへの軍事支援を中止しようとしている。トランプ氏は、二〇二三年五月にＣＮＮがニューハンプシャー州で開いた対話集会に参加し、自身が大統領であった場合にはと仮定して、「彼ら（ロシアのプーチン大統領とウクライナのゼレンスキー大統領）は共に、弱みと強みの両方を持っている。二四時間以内に戦争は解決する。完全に終わるはずだ」と語っている。この言葉の意味は、「アメリカが現在行なっているウクライナへの軍事支援を停止し、ロシアへウクライナの領土の一部割譲を認めさせることで早期解決を図る」ということではないだろうか。

この状況に、欧州各国は戦々恐々としている。二〇二四年一月にスイスで行なわれたダボス会議では、トランプ政権再来を警戒する話題が多かった。他にも現在続いているパレスチナ・イスラエル戦争では、トランプ氏はイスラエル側をさらに積極的に軍事支援するだろう。それに伴いパレスチナを支持する姿勢のイランが表に出て来れば、中東でのアメリカVSイランも含めた戦争激化が考えられる。

現在世界を見渡すと、独裁者だらけで政治リスクが極めて高い状況にある。中国の習近平国家主席やロシアのプーチン大統領、イランのハメネイ最高指導者は言わずもがなだが、他に独裁者としては北朝鮮の金正恩総書記、ベネズエラのマドゥロ大統領、トルコのエルドアン大統領などが挙げられる。また独裁者とは異なるが、二〇二三年一一月の大統領選挙で勝利した〝アルゼンチンのトランプ〟の異名を持つミレイ大統領も相当な個性派である。そこに、今回の大統領選挙を戦うテーマに「復讐（revenge）と報復（retribution）」を掲げるトランプ氏がアメリカ大統領になれば、穏便な時代が訪れるとは到底考えられない。キワモノぞろいの独裁者があふれる世界の舞台に、そんな〝爆弾〟が放り込まれる可能性が高いのが、二〇二五年という年なのである。

激動の二一世紀と二〇二五年

二一世紀に入ってこの地球上にはすでにかなりの異変が起きているわけだが、さらに追加すると「パンデミック」などもそのうちの一つである。

二〇一九年末頃から始まった新型コロナウイルスは、世界規模でのパンデミック（世界的大流行）を巻き起こした。

ただ、その前にも複数の国や地域で流行した二つのエピデミック（予想以上の流行）も思い出してほしい。二〇〇二年一一月に中国発で流行した「ＳＡＲＳ」（重症急性呼吸器症候群）は、北半球のインド以東のアジアとカナダを中心に三二の地域や国々へ拡大した。続いて二〇一二年九月に中東地域発で流行した「ＭＥＲＳ」（中東呼吸器症候群）は、サウジアラビアやアラブ首長国連邦など中東地域で広く発生した。人類の歴史は病気との闘いの歴史でもあるが、二一世紀もご多分にもれず、その闘いは続いて行くのだ。

「戦争」「地震」に「火山」「気候変動」「高まる政治リスク」に「パンデミック」と持て余し気味になるほど盛だくさんで、二一世紀はやはりとんでもない時代なのである。特に二〇二五年は「南北循環（ＡＭＯＣ）」が止まるかもしれない年、つまり世界規模での劇的な気候変動が始まるかもしれない年であり、世界にトランプ大統領という〝爆弾〟が投げ込まれるかもしれない年でもある。

このように、「符号」が重なり合うことを〝偶然〟ととらえない方がよい。「地獄の扉」が、まもなく開かれようとしているのだ。

第三章　生き残るためのすべての情報

弱い人間はチャンスを待ち、強い人間はチャンスを作る。
（オリソン・スウェット・マーデン）

【生　命　編】

大災害――正常性バイアスの罠

本章では、桁違いの惨事だと言える六〇メートル級の津波から、いかに逃れ生き残るかを指南したい。

まずは、六〇メートルという高さから確認しておこう。これはビルの二〇階に相当する。外に出て近くのマンションの二〇階を確認していただきたいが、その高さの津波が日本の太平洋沿岸の広範囲を襲うのだ。もし、これが現実のものとなれば、この長い人類史においても稀有なレベルの大惨事に発展する。

端的に言って、太平洋沿岸の海抜四〇メートル以下（あくまでもこれは平均的目安で、海岸のすぐ近くならば六〇メートル、海岸から一〇キロメートルも離れていれば二〇メートルとなるだろう）に住むすべての人は、命の危険にさらされると考えてよい。津波というのはなんとも恐ろしく、津波高が二メートルで木造家屋を倒壊に追いやり、六〇センチで車が動かなくなる。それがたとえ一メートル以下であっても、いとも簡単に人を呑み込み、死に追いやる可能性があるのだ。嘘だと思うなら、「YouTube」にアップされている津波の検証動画を確認していただきたい。

それゆえ、過去に幾度も大きな津波の被害を受けて来た東北の三陸地方では、古くから「津波てんでんこ」という標語が言い伝えられて来た。この「てんでんこ」とは「てんでに」や「てんでんばらばらに」という意味で、「津波てんでんこ」とは、津波が来たら薄情なようではあっても「てんでんばらばらに急いで早く逃げよ」という、津波から逃れるための教えである。

二〇一一年の東日本大震災では、「釜石の奇跡」が大きな話題となった。「津波てんでんこ」を標語に防災訓練を重ねていた釜石市内の小中学生らのうち、当日学校に登校していたすべての生徒が難を逃れたのである。「津波てんでんこ」が伝えているように、津波からの避難は「一目散」が基本となる。何が何でも遠くに、そして少しでも高いところに逃げなければならないのだ。

しかも、前著で紹介したたつき諒先生の予知夢からすると、二〇二五年七月には六〇メートル級という、桁違いの津波が襲う可能性がある。津波からの避難には、できるだけ早く遠くに逃げる「水平避難」に加えて、高いところへ移動する「垂直避難」も意識する必要があるが、六〇メートル級の津波にもなると中途半端な避難ではまず助からない。たとえば沿岸部では、二〇階以上のビルに垂直避難してもそのビルごと押し流されてしまうことも考えられる。また水平避難しようにも、車を使うのは危険だ。まず間違いなく渋滞が起こるため、身動きが取れなくなる。これは後で詳述するが、津波からの避難は〝徒歩〟が基本になる。

できることなら事前に避難しておきたい。もしあなたが太平洋沿岸部に住んでいてこの話を少しでも信じるとすれば、危ないと言われている期間はあらかじめ山の方や日本海側に疎開（そかい）すればよい。それだけで、とりあえず命は助かるのだ。
私は、たつき先生の予知夢が現実のものになる確率は二〇％以下だと思っている。一方で、ゼロ％ではないとも思っているので、あらかじめ避難するつもりだ。もし桁違いの大惨事が起これば、太平洋沿岸部の海抜四〇メートル以下に住む人では、下記のような条件で生存確率が変わって来るだろう。

生存確率 一〇〇％

この本を読んで事前に避難していた人は、ほぼ一〇〇％の確率で助かる。

生存確率 七〇％

次に、この本は読んだがそこまで信じることができず、事前に避難しなかった人でも七〇％の確率で助かる。この本を読んだことで、津波の恐ろしさを一通り認識したからだ。

生存確率 五〇％

続いて、この本は読んでいないが、普段から「津波てんでんこ」の教えを大切にしている人はおよそ五〇％の確率で助かるだろう。確率が低いと思われるかもしれないが、一目散に逃げたとしても六〇メートル級の津波から逃れるのは容易ではないためだ。

生存確率 ゼロ%

そして最後に、この本を読んでおらず、日頃から津波の脅威を軽視している人はまず助からない。生存確率ゼロ%だ。

二〇一一年の東日本大震災、そして二〇二四年の能登半島地震でも広範囲に津波警報が出されたため、日本人の津波に対する警戒心は高まって来ている。それでも、「もし津波が来たら、内陸のどこまで到達するのだろうか」「海沿いが危険なのはわかるけど、どこまで離れればよいのだろうか」「そもそも津波の到達エリアは予測できるのか」といった、素朴な疑問を持っている人も多いはずだ。結論からすると、津波の到達エリアを厳密に予想することはできない。現代のスーパーコンピュータをもってしても台風予報が外れるように、津波の被害は内陸部の地形、建物の量、潮の満ち引き、河川の有無などによって変わって来るので、単純に計算式などでは導き出せないのだ。

各市町村では、それぞれのエリアで「ハザードマップ」を発表・掲載していることがほとんどで、自治体によっては「津波ハザードマップ」を作成しているところもある。それを読み込むことは大事なことだが、実はハザードマップには大きな〝落とし穴〟もあり、ハザードマップで安全とされた場所に住んでいたとしても盲目的に「うちは大丈夫だろう」と信じ込むのは危険なのだ。

東日本大震災では、「津波ハザードマップの予想浸水範囲」と「実際の津波による浸水範囲」とが大きくかい離していた。ただ単に逃げ遅れたのではなく、このせいで「ここまで津波は来ないだろう」という先入観（思い込みや過信）や油断となり、被害を拡大させた一因になったのではないか、との指摘がなされている。ハザードマップに対し「ここまで津波は来るが、この範囲は大丈夫だ」という、「安全マップ」のような認識があったのかもしれないというわけだ。

その東日本大震災では、先に述べた「釜石の奇跡」とは対照的な「大川小学校の悲劇」という事件も起きている。宮城県石巻市釜谷地区の北上川河口から約四キロの川沿いに位置する大川小学校は、東日本大震災で全校児童一〇八人の七割に当たる七四人が死亡・行方不明となった。この悲劇は、ハザードマップへの過信が一因で起きたとされている。河北新報社は当時、釜谷地区はこれまでに津波が到達した記録がなく、住民は大川小学校をいざという時の避難所と認識していたこと、しかも山と堤防に遮られていて津波の動向が把握できない環境だったことなどが避難を遅らせた要因として挙げた。

　これは余談だが、私は釜石の奇跡が起きた鵜住居小学校と学校の管理下にある子供が犠牲になった事件・事故として戦後最悪の惨事となった大川小学校のどちらも訪れたことがある。今はどちらも「震災遺構」に指定されているため、近くを訪れた際はぜひ寄っていただきたい。津波のあまりの恐ろしさに絶句することだろう。

　ハザードマップを鵜呑み（安全マップ）にしてはいけないというのは、東日本大震災が残した大きな教訓だ。ましてや、六〇メートル級の津波が来た際は、もはやハザードマップなど意味を成さない。そもそも、六〇メートルの津波など大袈裟に聞こえるかもしれないが、災害は人知を超えて来ることがしばしばで、極端な状況下で身の安全を守るには、それこそ極端な水準にまで避難することが大切である。

　過去の大災害では〝慢心〟によって亡くなってしまった人が少なくない。私たち人間には、「正常性バイアス」というものが備わっている。これは、異常なことが起こった時に「大したことじゃない」と落ち着こうとする心の安定機能のようなもので、日常生活では不安や心配を減らす役割がある半面、緊急事態では逃げ遅れなどの危険に巻き込まれる原因にもなるのだ。

東日本大震災では戦後最悪の被害者を出したが、亡くなった人のうち実に九割以上が「溺死（できし）」、つまり津波で亡くなっている。あの日、東北の太平洋側沿岸部を津波が襲うまで、平均して三〇分くらいはあった。避難する時間があったにも関わらず、なぜこれほど多くの人が逃げ遅れてしまったのか。それこそ、「自分だけは大丈夫」という正常性バイアスが働いたためだと言われている。

繰り返しになるが、極端な状況で身を守るには、極端な水準にまで避難してなくてはならない。「起きてからでは遅い」と、事前避難するくらいがちょうどいいのだ。六〇メートルの津波を想定した場合、少なくとも沿岸部から三キロ離れた場所に住み（避難し）、それも海抜四〇メートル以上の土地を選定するといいだろう。

「令和の大津波」――六〇メートル津波のシミュレーション

本項では、二〇二五年七月にフィリピン沖で歴史的にも稀有な規模の津波が発生したと仮定し、日本の太平洋沿岸部にどれだけの被害が出るのかをシミュレーションしてみたい。ただし、先にも書いたように、津波の被害を正確に予想することはできない。これは、あくまでも私の〝お勝手シミュレーション〟である。現実は、より複雑だ。それゆえ、予想通りに展開することなどまずあり得ないという前提で読んでいただきたい。

＊　　＊　　＊

二〇二五年七月、フィリピン沖にて、隕石の衝突もしくは海底火山の爆発によって近現代ではまれに見る水位変動が起こった。その直後の周辺の津波高は、驚異の三〇〇メートルに達した。それが時速七〇〇―一〇〇〇キロ（初速）というう猛烈なスピードで四方八方へと広がって行く。日本の気象庁がはじき出した計算によると、日本の太平洋側沿岸には二一四時間程度で到達するという。

まずは、フィリピン海の西に位置する沖縄県。その中でも沖縄の東に位置し、絶海の孤島であり最後の秘境として知られる大東諸島を、フィリピン沖で発生した津波の第一波が襲う。大東諸島に津波が到着した時点の津波高は、おそらく一五〇メートルくらいだ。一五〇メートルというと、ビルの五〇階、すなわちタワーマンション級の津波に襲われるということである。人が暮らす南大東島の山頂は七八メートル、同じく北大東島のそれは七五メートルしかなく、島全体を覆いかぶさるように津波がすべてを呑み込んで行くはずだ。

次に、沖縄本島や八重山列島が襲われる。前著『2025年7の月に起きること』(第二海援隊刊)にも記したが、八重山列島は一七七一年四月に「明和の大津波」と呼ばれる壊滅的な被害を出した津波に見舞われた。その際の津波高は石垣島で最大三五メートル程度に達したようだが、今回はそれをはるかに上回る九〇メートル程度の津波高が観測される。ビルにして三〇階の高さであり、八重山列島の大部分は跡形もなく濁流に呑み込まれた。それと同レベルの津波が、沖縄本島や奄美大島（鹿児島県）を襲う。

九州の最南端に位置する鹿児島県にも、早々に津波は到着した。津波は屋久島や種子島を呑み込みながら北上し、西から枕崎市、指宿市、南大熊町、そして志布志湾に突入する。その時の津波高は、六〇メートル程度。勢いを失いつつも津波は鹿児島湾に進入して行き、湾の幅が狭くなる桜島のところで流れを変え、西に位置する鹿児島市中心部にも容赦なく押し込んで行った。鹿児島市に進入した時点の津波高は、一〇メートル。また、鹿児島湾の北部に位置する霧島市にも五メートル程度の津波が到達した。

鹿児島県の東部に位置する志布志湾には「国家石油備蓄基地」がある。一九六ヘクタールの人工島に四三基の原油タンクがあり、国内消費量で約九日分相当の原油が備蓄されている。これが一瞬で破壊された。また、鹿児島湾内にはLNG（液化天然ガス）を最初に受け入れる一次受入れ基地（鹿児島工場）があり、ここも大きな損傷を受ける。さらには、鹿児島県西部の串木野（くしきの）国家石油地下備蓄基地にも津波を到達し、一七五万キロリットル（日本で使う約三日分）

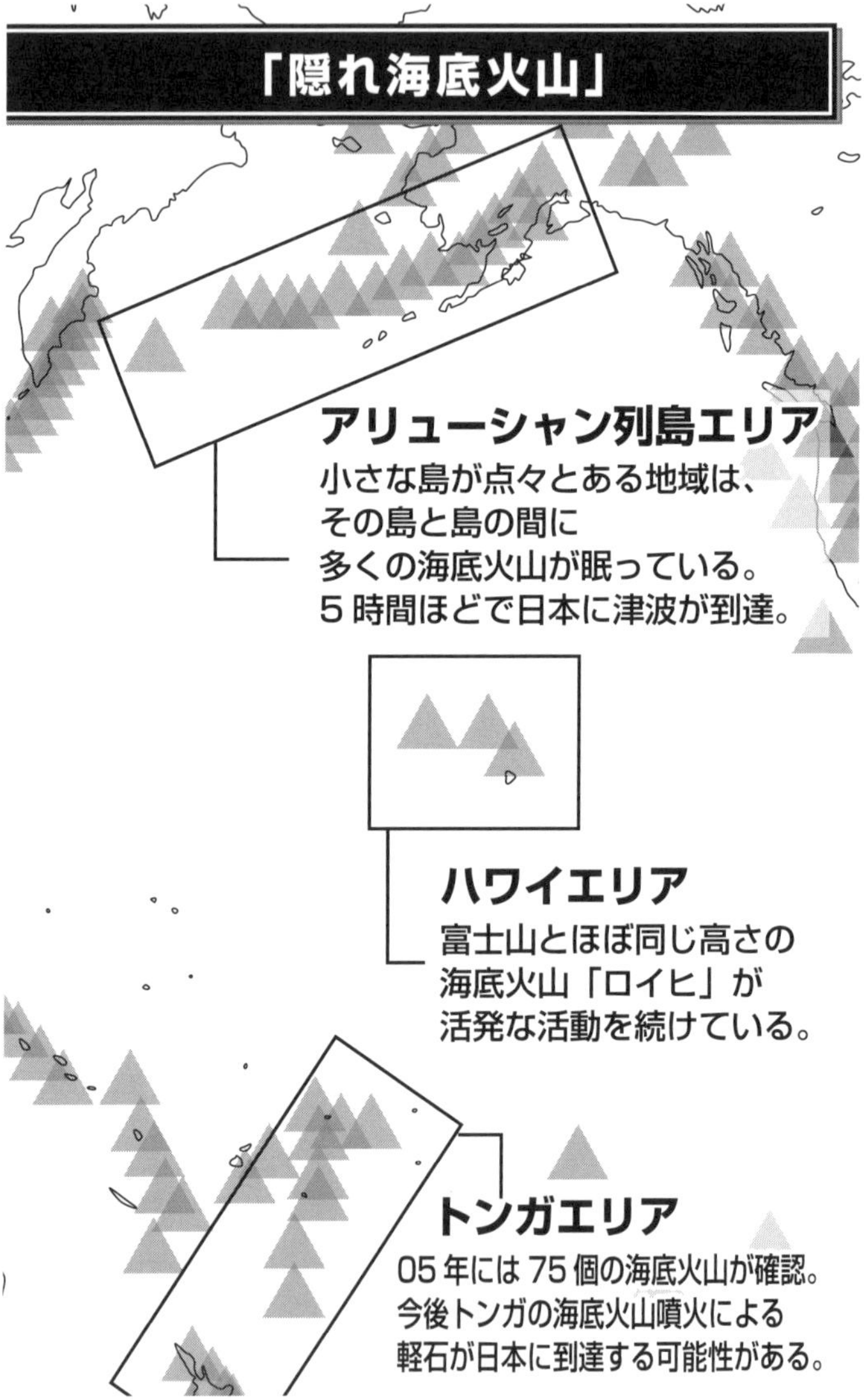

「隠れ海底火山」

アリューシャン列島エリア

小さな島が点々とある地域は、
その島と島の間に
多くの海底火山が眠っている。
5 時間ほどで日本に津波が到達。

ハワイエリア

富士山とほぼ同じ高さの
海底火山「ロイヒ」が
活発な活動を続けている。

トンガエリア

05 年には 75 個の海底火山が確認。
今後トンガの海底火山噴火による
軽石が日本に到達する可能性がある。

こんなに！　日本が警戒すべき

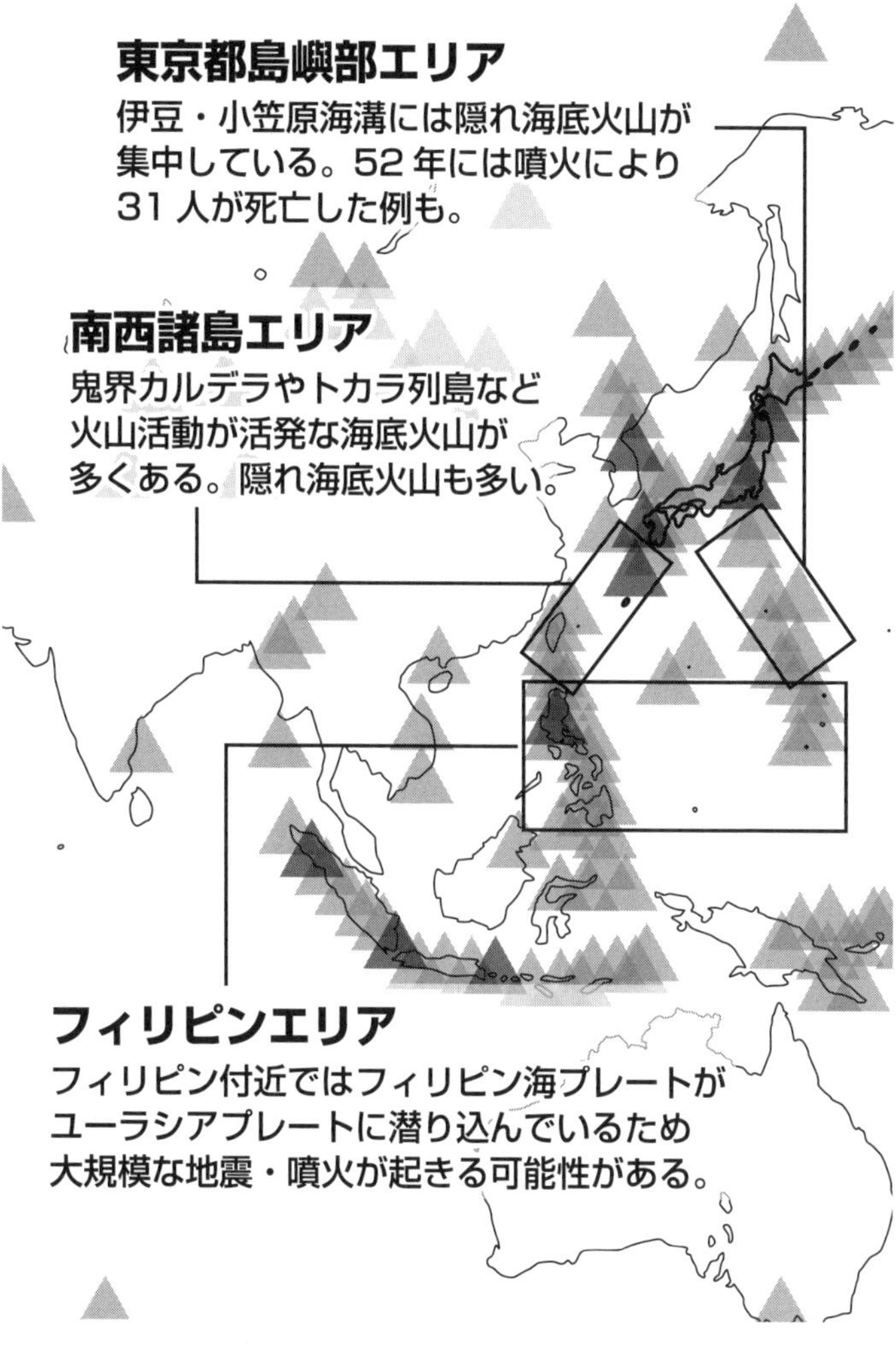

東京都島嶼部エリア

伊豆・小笠原海溝には隠れ海底火山が集中している。52 年には噴火により 31 人が死亡した例も。

南西諸島エリア

鬼界カルデラやトカラ列島など火山活動が活発な海底火山が多くある。隠れ海底火山も多い。

フィリピンエリア

フィリピン付近ではフィリピン海プレートがユーラシアプレートに潜り込んでいるため大規模な地震・噴火が起きる可能性がある。

の石油が使用不能となった。

次に、宮崎県を大津波が襲う。宮崎県の東岸に位置する宮崎市、新富町、高鍋町、川南町、都農町、日向、延岡などは、いずれも五〇メートル級の津波が襲った。宮崎市沿岸部の赤江灘からすぐの宮崎空港は、飛行機ごとすべての空港インフラが破壊される。大淀川を逆流した津波は、九州自動車道に近い生目(いきめ)神社にまで接近した。

九州の西側でも、津波がどんどん北上する。津波は鹿児島県西部の下甑島(しもこしきしま)や熊本県の天草諸島を越え、長崎県の島々を襲って行った。長崎市の中心部は入り組んだ地形のため津波の進入を免れたが、西海市や五島列島の沿岸部、平子島や対馬にも三〇—四〇メートル級の津波が到達する。また、長崎市の西海岸にある長崎LNG基地(西部ガス長崎工場)も被災した。

九州の東側に位置する大分県にも、津波はおよぶ。大分県と四国の間を突き進んだ津波は、四国の最も西に位置する佐田岬半島で勢いを失うも、一部は別府湾に進入して、大分市や別府市、日出町、杵築(きつき)市、国東市、姫島村に大きな

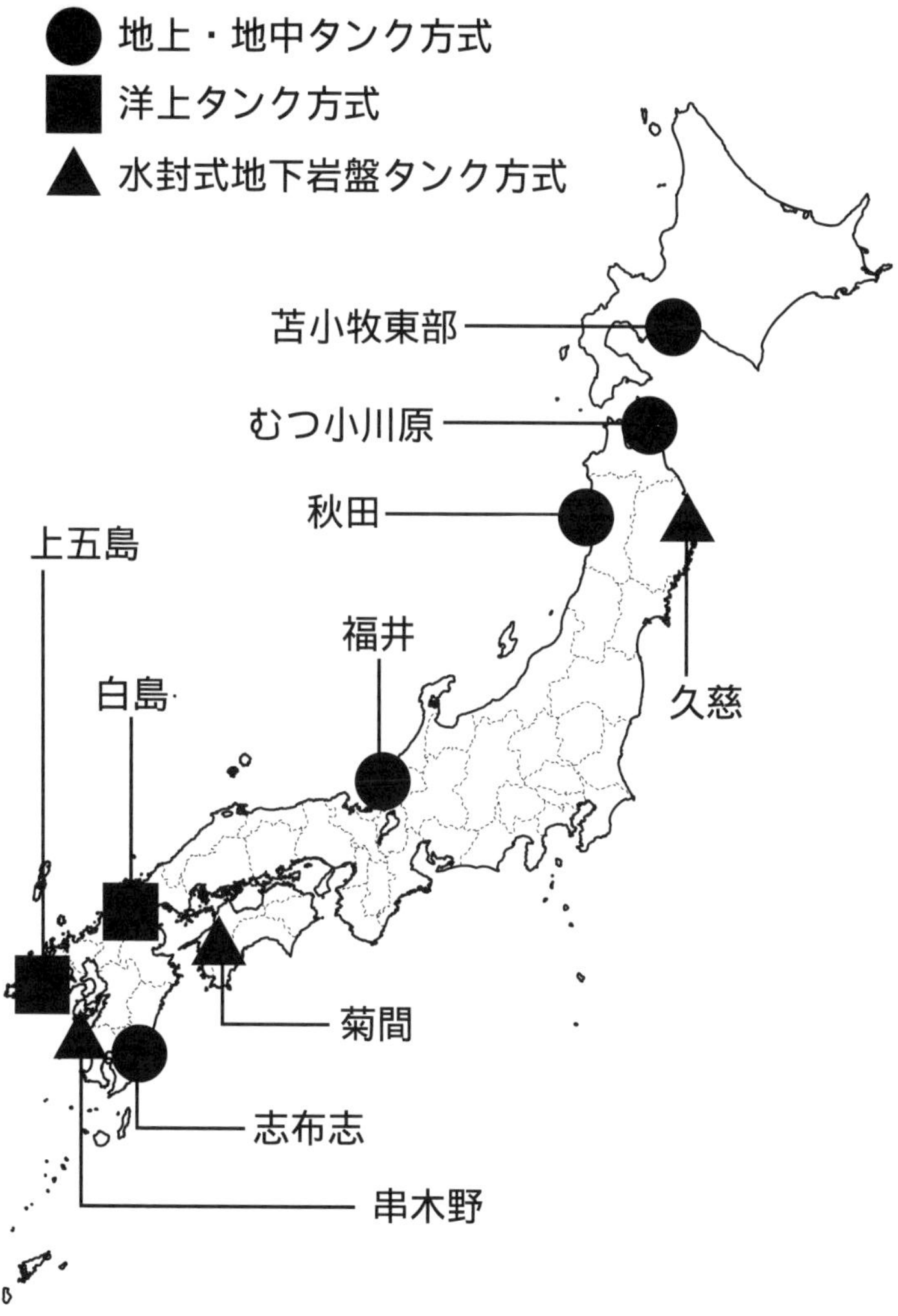
国内に点在する国家石油備蓄基地
地上・地中タンク方式
洋上タンク方式
水封式地下岩盤タンク方式
苫小牧東部
むつ小川原
秋田
久慈
福井
上五島
白島
菊間
志布志
串木野

被害をもたらした。別府湾に入った時点の津波高は一〇—二五メートルと、海抜五メートル以下の地域を押し流すには十分な高さである。また、国東市にある大分空港も呑み込まれた。

九州においては、熊本県、佐賀県、福岡県は沿岸部が南向きではなかったことから大きな損傷は受けずにすんだが、それでも海面上昇の影響でそれなりの被害が出た場所も複数ある。九州において最大の問題となったのは、二〇二五年七月時点で再稼働していた川内（九州）原発でメルトダウンが発生したことであった。川内原発はおよそ二四時間前に核燃料の臨界を止めていたが、崩壊熱はすぐにはなくならないため、超巨大津波（全電源喪失）による冷却機能の停止によってメルトダウンが生じたのである。

次に、四国だ。四国の地図を確認すると一目瞭然だが、高知県の土佐湾は太平洋側からやって来る津波の影響をもろに受ける。そのため高知県は今後三〇年以内におよそ七〇％の確率で起きると言われている南海トラフ巨大地震に伴う津波で相当な被害が出ると想定されているのだ。

国内のLNG（液化天然ガス）基地

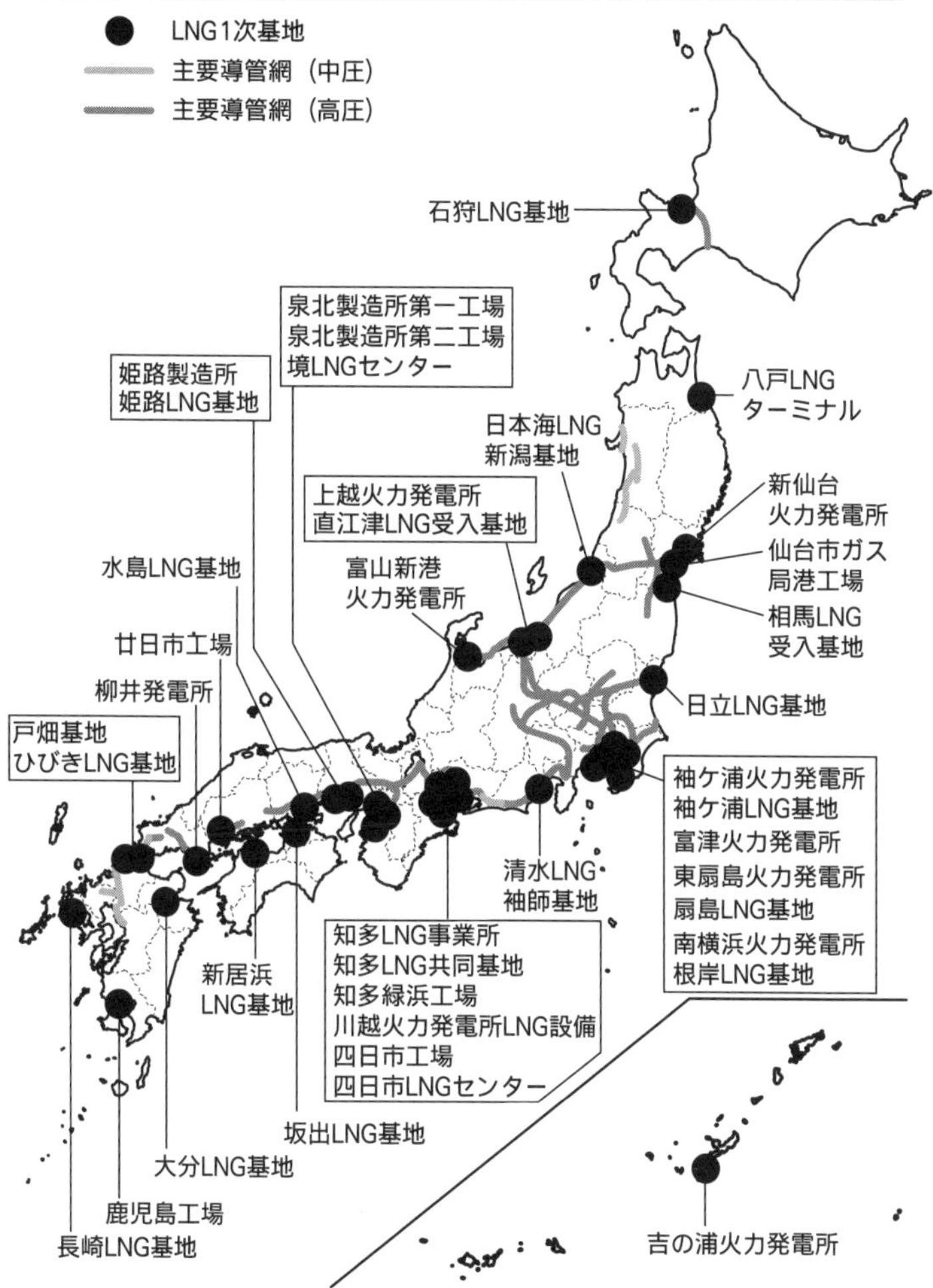

「The LNG industry,GIIGNL Annual Report 2019」「総合資源エネルギー調査会基本政策分科会第1回システム改革小委員会資料」を基に作成

高知県南西部の土佐清水市と黒潮町は、南海トラフ巨大地震の際に最大三四メートル級の津波に襲われると想定されている。今回はそれを優に上回る六〇メートルの津波が襲った。土佐湾に面する土佐清水市、黒潮町、四万十町、須崎市、土佐市、高知市、南国市、香南市、芸西村、安芸市、奈半利町、室戸市のほぼすべてが壊滅する。県庁所在地の高知市は、海抜五メートル以下の地帯が多く六〇メートルの津波によって地域のほとんどが流された。たとえば土佐湾の中でも風光明媚な景勝地として知られる桂浜には、坂本龍馬の銅像が鎮座している。その坂本龍馬の銅像は台座を含めて一三メートル以上あり、さらには丘の上に位置しているため龍馬像の頭の部分は海抜三〇メートルくらいになると思われるが、津波はそれをいとも簡単に呑み込み、その後に高知市の街並みを破壊して行った。

徳島県の沿岸部も壊滅する。東洋町（高知県）、海陽町、牟岐町、美波町は、六〇メートルの津波によって跡形もなく吹き飛ばされた。津波は勢いよく和歌山湾にも入って行き、徳島県の東に位置する阿南市、小松島市、徳島市、鳴門市は二〇メートル級の津波に見舞われる。東日本大震災では、大体一〇メートル級の津波高で沿岸部が壊滅的になった。そのため海抜五メートル以下の地帯が多い県庁所在地の徳島市は、隣の高知市と同様に中心部としての機能を完全に失ってしまう。

四国の西側にも大きな被害が出た。高知県の四万十川を津波が勢いよく遡ったことで、四万十市は濁流に呑み込まれる。また、離島の沖ノ島(おきのしま)も壊滅した。

愛媛県の西部も被災する。愛南町、宇和島市、西予市、八幡浜市の沿岸部は壊滅。北上を続ける津波は佐田岬半島にぶつかり勢いを落とした。この佐田岬の北側に位置する伊方原発は、難を逃れている。この伊方原発には北側に回り込んだ津波が押し寄せたが、その時点で津波は弱まっており、原子炉の損傷といった重大なインシデントは免れた。

続いて、和歌山県も甚大な被害を受ける。県の最南端の串本町を起点に西側のすさみ町、白浜町、田辺市、みなべ町、印南町、日高町、由良町、広川町、有田市、そして和歌山市を六〇メートル級の津波が襲った。また、串本町を起

主な工業地帯と工業地域

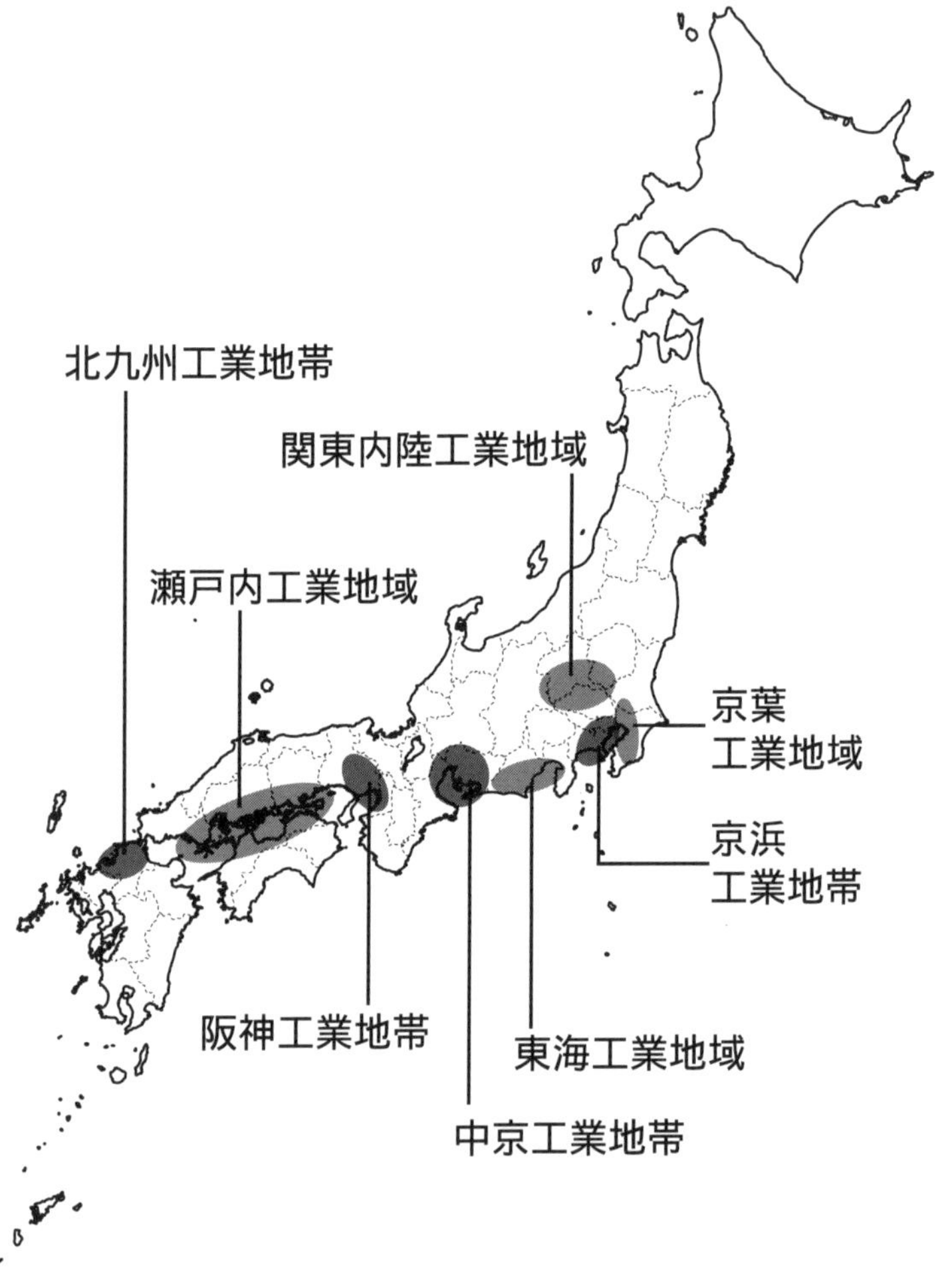

石油化学コンビナート

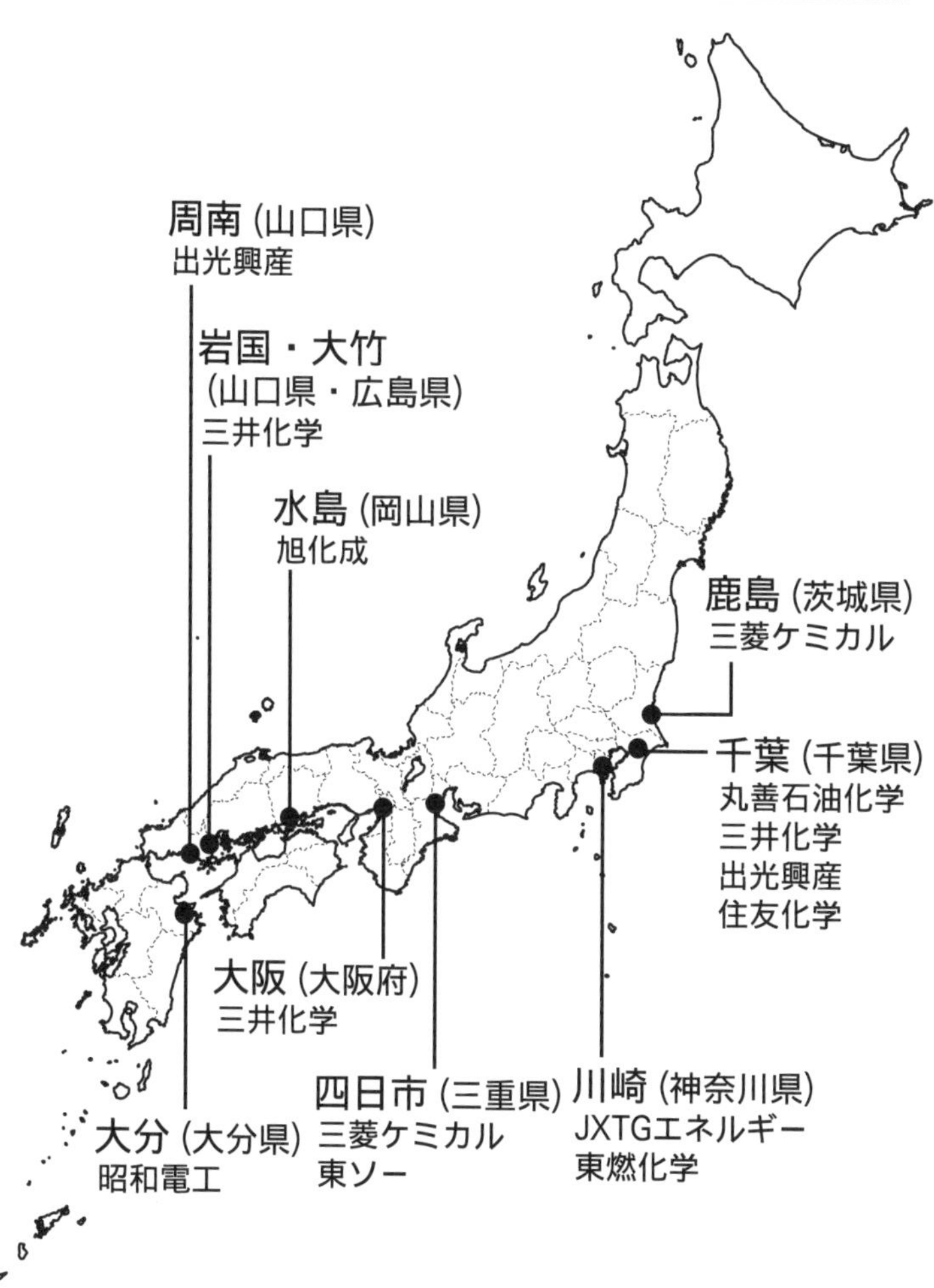
周南（山口県）
出光興産
岩国・大竹
（山口県・広島県）
三井化学
水島（岡山県）
旭化成
鹿島（茨城県）
三菱ケミカル
千葉（千葉県）
丸善石油化学
三井化学
出光興産
住友化学
大阪（大阪府）
三井化学
四日市（三重県）
三菱ケミカル
東ソー
川崎（神奈川県）
JXTGエネルギー
東燃化学
大分（大分県）
昭和電工

点として東側の古座川町、太地町、那智勝浦町、新宮市、御浜町（三重県）、熊野市（三重県）も六〇メートル級の津波によって街のほぼすべてが壊滅する。

津波は和歌山湾を北上し、淡路島（兵庫県）南部を直撃しつつ、大阪湾に進入した。最初に、三〇メートル級の津波が淡路市（兵庫県）と関西空港を襲う。関空は海の底に沈んでしまった。津波はそのまま大阪府の阪南市、泉南市、田尻町、泉佐野市、貝塚市、岸和田市、泉大津市、高石市、堺市の沿岸部を呑み込みながら大阪市と神戸市に向かう。

大阪の主要部は、海抜五メートル以下のところが多い。たとえば大阪では、南海トラフ巨大地震で想定されている五メートルの津波で、大阪・梅田駅や大阪城まで浸水すると言われている。今回の「令和の大津波」では、それよりもさらに高い二〇メートルの津波が大阪湾を襲った。関西空港に続いて神戸空港、二〇二五年の大阪万博会場、ＵＳＪ、甲子園球場、さらには道頓堀など、大阪・神戸を代表するすべてが流され消滅してしまった。

津波は、あっという間に道頓堀へ流れ込み、北新地や梅田駅の地下街も浸水

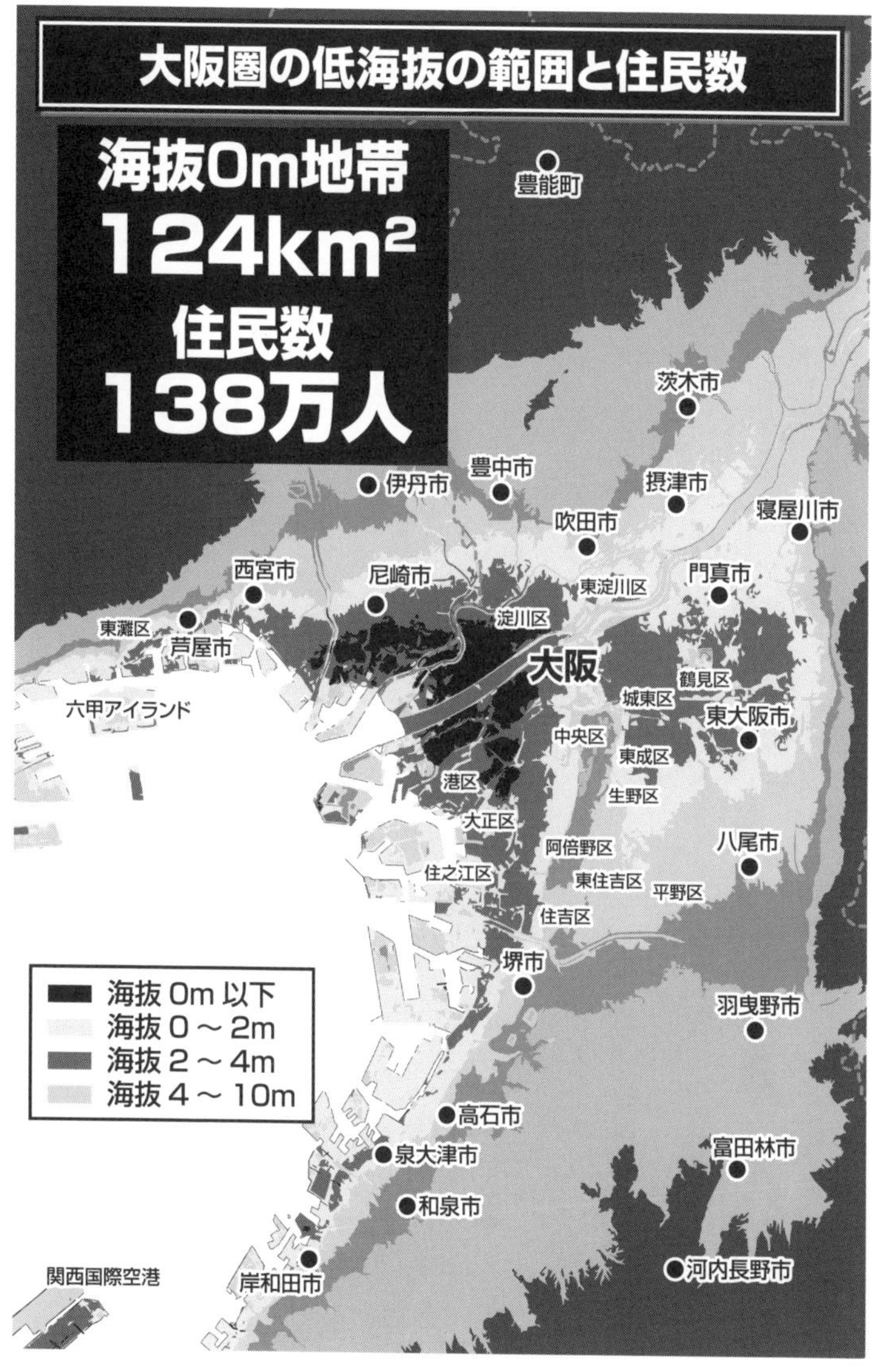
大阪圏の低海抜の範囲と住民数
海抜0m地帯
124km²
住民数
138万人
豊能町
茨木市
豊中市
伊丹市
摂津市
寝屋川市
吹田市
西宮市
尼崎市
東淀川区
門真市
東灘区
芦屋市
淀川区
大阪
鶴見区
城東区
六甲アイランド
東大阪市
中央区
東成区
港区
生野区
大正区
八尾市
阿倍野区
住之江区
東住吉区
平野区
住吉区
堺市
海抜 0m 以下
海抜 0 ～ 2m
海抜 2 ～ 4m
海抜 4 ～ 10m
羽曳野市
高石市
泉大津市
富田林市
和泉市
関西国際空港
岸和田市
河内長野市

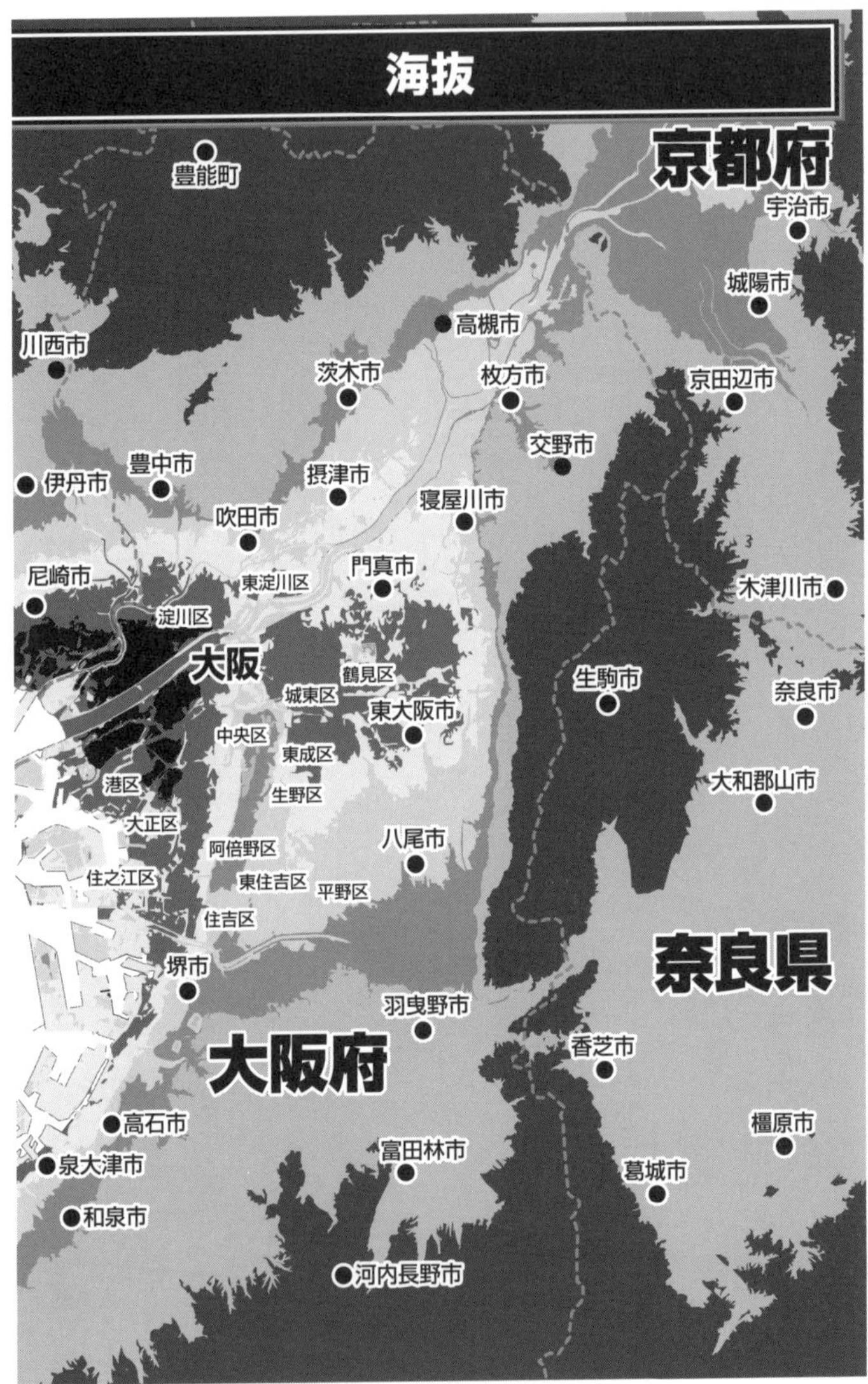
海抜
京都府
豊能町
宇治市
城陽市
高槻市
川西市
茨木市
枚方市
京田辺市
交野市
豊中市
伊丹市
摂津市
寝屋川市
吹田市
尼崎市
門真市
東淀川区
木津川市
淀川区
大阪
鶴見区
生駒市
城東区
奈良市
東大阪市
中央区
東成区
港区
生野区
大和郡山市
大正区
八尾市
阿倍野区
住之江区
東住吉区
平野区
住吉区
奈良県
堺市
羽曳野市
大阪府
香芝市
高石市
橿原市
泉大津市
富田林市
葛城市
和泉市
河内長野市

大阪圏の
三田市
猪名川町
三木市
宝塚市
北区
西宮市
兵庫県
灘区
東灘区
芦屋市
神戸
六甲アイランド
中央区
兵庫区
須磨区
長田区
ポートアイランド
明石市
垂水区
淡路島
大阪湾
海抜 0m 以下
海抜 0 〜 2m
海抜 2 〜 4m
海抜 4 〜 10m
海抜 10 〜 20m
海抜 20 〜 100m
海抜 100m 以上
関西国際空港
岸和田市

してしまう。この梅田駅の地下街は「梅田ダンジョン」と呼ばれ、日本最大級の広さを誇るものだが、そのすべてが冠水(かんすい)し、大阪メトロ（地下鉄）も使用不能となった。さらに津波は淀川を遡って行き、守口市、寝屋川市、高槻市の河川敷を破壊する。また兵庫県の神戸市、芦屋市、西宮市、尼崎市のほとんども浸水した。

ところで、大阪圏の海抜ゼロメートル地帯には一三八万もの人が住んでいる。過密都市であるがゆえ、必然的に大パニックになった。津波の到達までに三時間程度あったとはいえ、百数十万の人が時間内に避難するのは容易ではなく、結果的に数万人単位の死亡者・行方不明者が出てしまう。負傷者は三〇万人にのぼった。

三重県の被害も甚大となる。二〇一六年のG7サミット（先進国首脳会議）の舞台となった、伊勢志摩国立公園の沿岸部は壊滅。勢いを少し弱めつつも、津波は伊勢湾と三河湾に入って行った。まず、知多半島の南知多町、常滑市、知多市、東海市の沿岸部は五〇メートル級の津波に見舞われる。伊勢湾にある中部セントレア空港も真っ先に呑み込まれた。松坂市、津市、鈴鹿市、四日市市、桑名市も四〇メートル級の津波が襲う。津波は長良川と木曽川をものすごい勢いで逆流して行き、桑名市（三重県）、弥富市（愛知県）、愛西市（愛知県）の河原を木っ端みじんに破壊した。

さらに、津波は名古屋市も容赦なく襲う。名古屋で最大の繁華街の栄やテレビ塔も浸水し、外国人に人気のある観光名所オアシス21は水に浮かんで宇宙船のようになってしまった。最終的に津波は名古屋駅を通り越して名古屋城まで届いたが、名古屋駅にも大阪に負けず劣らずの巨大な地下街がある。そのすべて冠水し、地下鉄もほぼ全線で使用不能となった。愛知県も、海抜五メートル以下に九〇万人が暮らす過密都市となっている。そのため大阪と同じく大パニックとなり、ここでも数万人にのぼる死傷者と行方不明者を出した。

静岡県も大打撃を被る。浜松市、磐田（いわた）市、御前崎市、牧之原市、焼津市、静岡市の沿岸部は六〇メートル級の津波に襲われ壊滅。駿河湾に勢いよく突入した津波は富士市をなぎ倒し、富士宮市までをも襲った。さらには沼津市、伊豆の国市、西伊豆町、南伊豆町、下田市、東伊豆町の沿岸が壊滅する。

ところで、静岡県の浜松市の浜名湖は浜松の旧名「遠江（とおとうみ）」が由来だ。そしてこの上を東海道新幹線や在来線、国道一号など日本の大動脈が走っている。これらすべてが、今回の津波で壊滅した。ＪＲ東海は、以前から東海道新幹線において津波の到達が予想される地域はないとしていたが、六〇メートル級の津波にはさすがに太刀打ちできなかったのである。

さらには、御前崎市にある再稼働したばかりの浜岡原発がメルトダウンを起こした。元々浜岡原発は近い将来に起こり得る「南海トラフ巨大地震」への対策として、海抜四〇メートルの高台へ発電機を設置するなど入念な準備を心がけていたが、今回の津波はそれをも上回る六〇メートル級であったことから全電源喪失に至る。浜岡原発も鹿児島の川内原発と同様に、およそ二四時間前に核燃料の臨界を止めていたが崩壊熱はまだ残った状態であったことから、冷却機能の停止によってメルトダウンが生じた。これにより、御前崎市は復興後も人の住めない場所になってしまったのである。

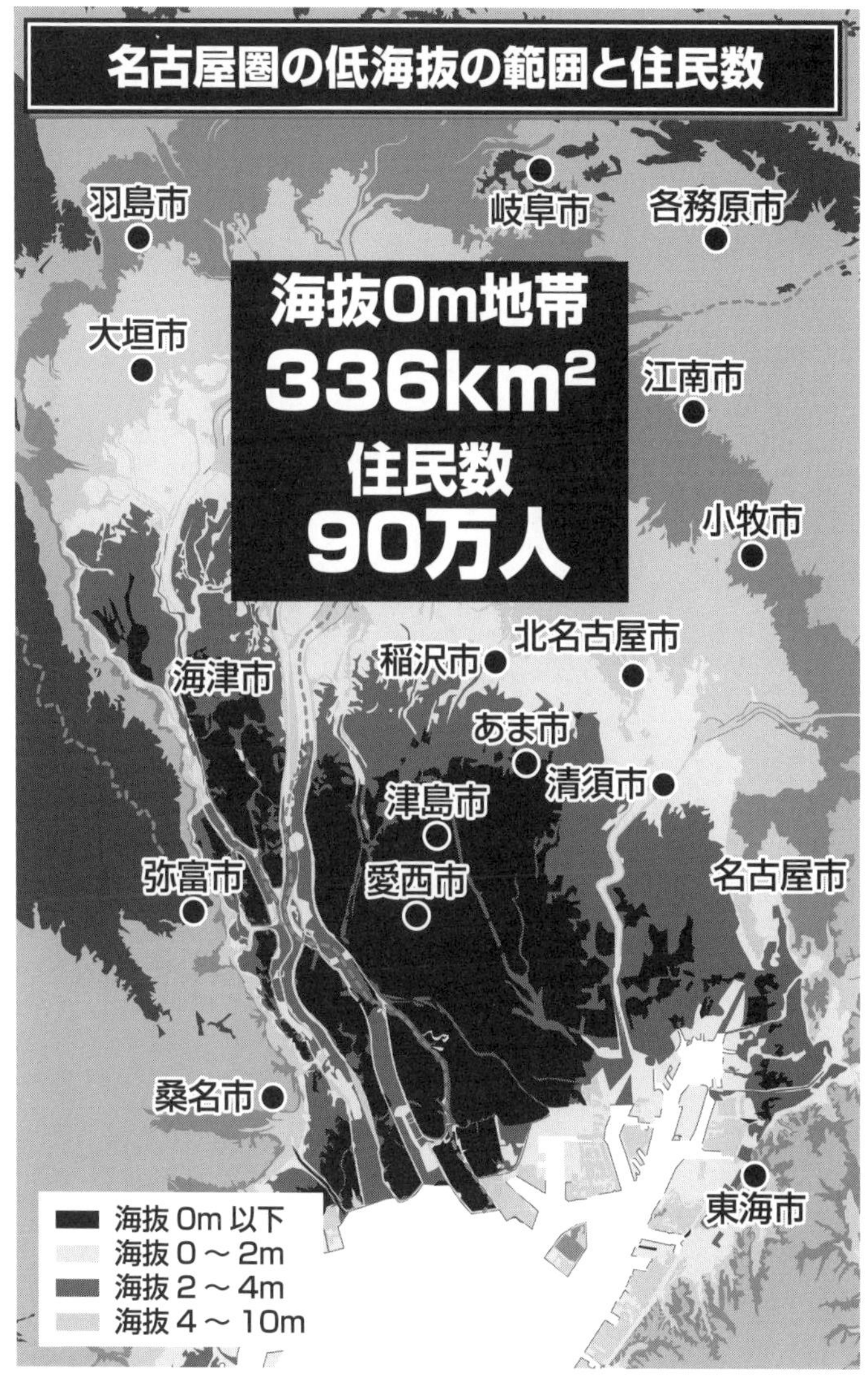
名古屋圏の低海抜の範囲と住民数
羽島市
岐阜市
各務原市
大垣市
江南市
小牧市
海抜0m地帯
336km²
住民数
90万人
稲沢市
北名古屋市
海津市
あま市
清須市
津島市
弥富市
愛西市
名古屋市
桑名市
東海市
海抜 0m 以下
海抜 0 ～ 2m
海抜 2 ～ 4m
海抜 4 ～ 10m

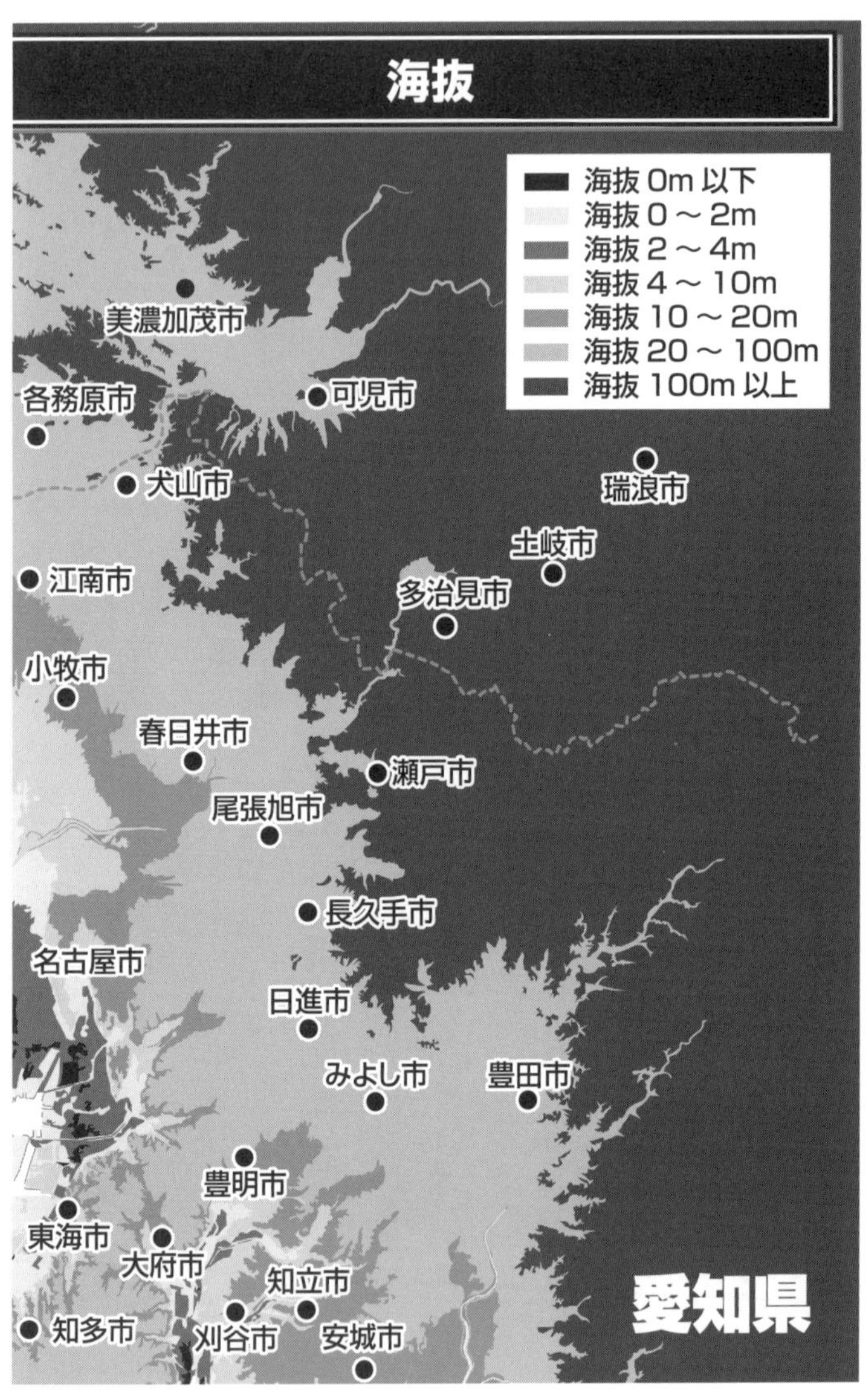
海抜
海抜 0m 以下
海抜 0 ～ 2m
海抜 2 ～ 4m
海抜 4 ～ 10m
海抜 10 ～ 20m
海抜 20 ～ 100m
海抜 100m 以上
美濃加茂市
各務原市
可児市
瑞浪市
犬山市
土岐市
江南市
多治見市
小牧市
春日井市
瀬戸市
尾張旭市
長久手市
名古屋市
日進市
みよし市
豊田市
豊明市
東海市
大府市
知立市
知多市
刈谷市
安城市
愛知県

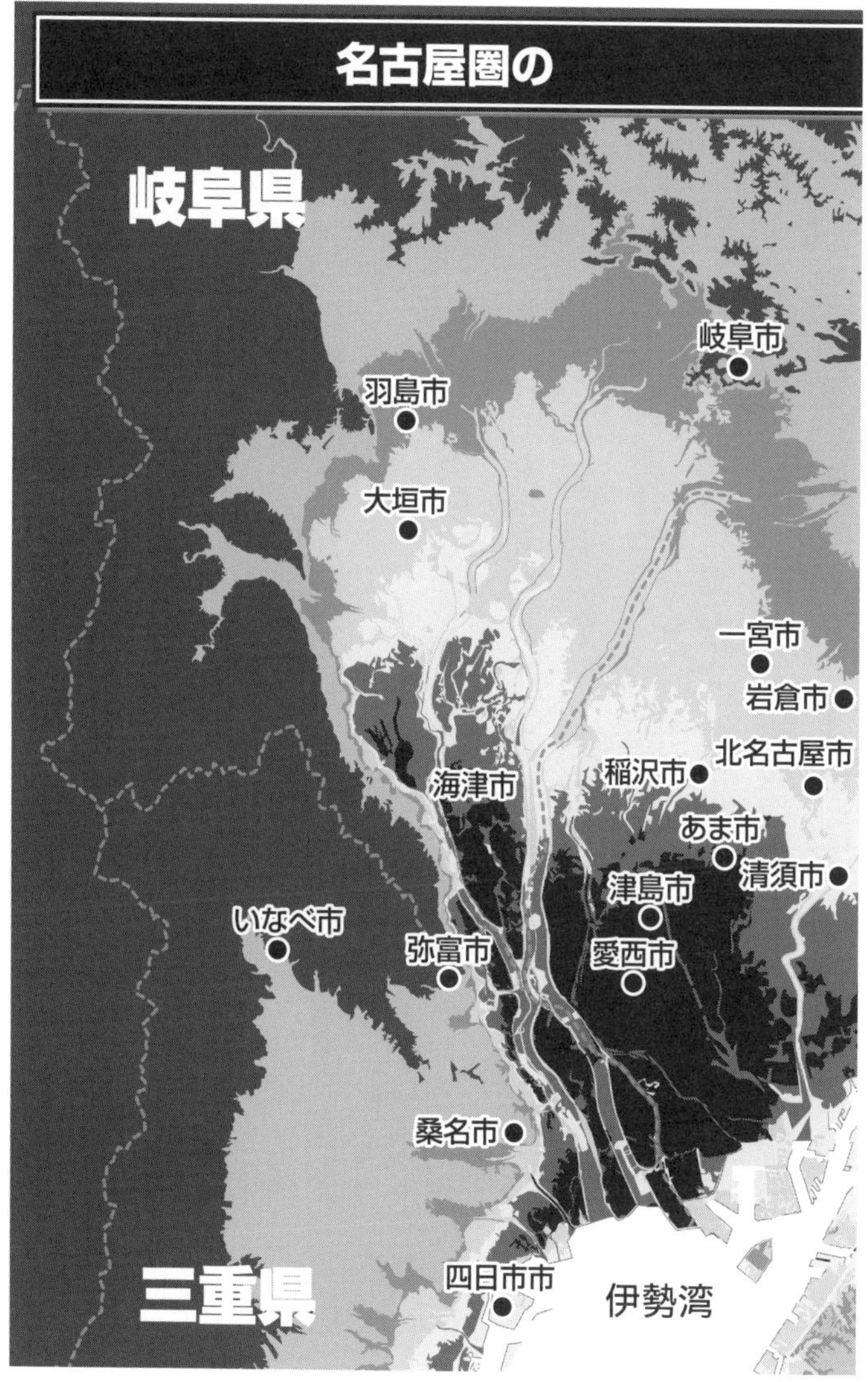

名古屋圏の
岐阜県
岐阜市
羽島市
大垣市
一宮市
岩倉市
北名古屋市
稲沢市
海津市
あま市
清須市
津島市
いなべ市
弥富市
愛西市
桑名市
三重県
四日市市
伊勢湾

津波は、相模湾にも侵入した。静岡県では伊東市、熱海市といった著名な温泉地が破壊され、神奈川県では湯河原町、小田原市、平塚市、茅ケ崎市、藤沢市、鎌倉市、逗子市、葉山町のすべての沿岸部が六〇メートル級の津波にさらされる。標高六〇メートルの江の島は津波にそっくり覆われ、ランドマークの展望塔は〝ぽきっ〟と折れてしまった。また、西暦一四九八年の「南海トラフ巨大地震」(明応地震)で本殿が流されたという説のある鎌倉の大仏も、今回の津波で大きく変形してしまう。

ほぼ同じ頃に、三浦半島と千葉県の房総半島も津波に襲われ、三浦市(神奈川)、館山市、南房総市、鋸南町の沿岸部を破壊し尽くした。そして津波は金田湾を通り、首都を目指して東京湾に入って行く。

従来から、東京湾は外洋からの入り口が狭く中で広がっている形状であることから、外からの津波が湾内に進むにつれて増幅するような現象は起こりにくいと言われて来た。実際、一九二三年の関東大震災(震源は相模湾沖)の時も、東京湾はほとんど津波の被害が出なかったとされる。

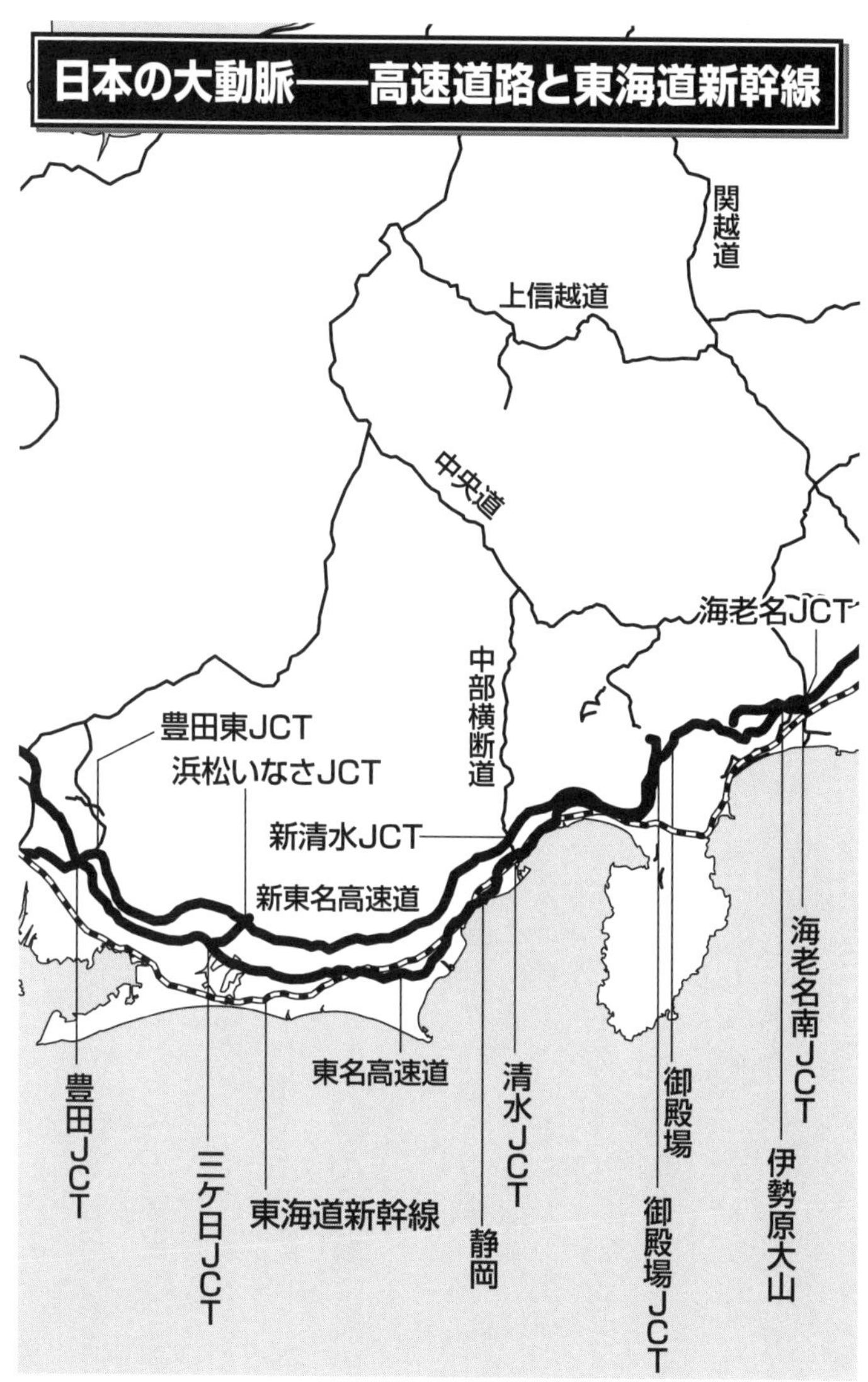
日本の大動脈——高速道路と東海道新幹線
関越道
上信越道
中央道
海老名JCT
中部横断道
豊田東JCT
浜松いなさJCT
新清水JCT
新東名高速道
東名高速道
豊田JCT
三ケ日JCT
東海道新幹線
静岡
清水JCT
御殿場
御殿場JCT
海老名南JCT
伊勢原大山

しかし、今回はさすがに違った。相模湾までは五〇—六〇メートルあった津波高も、東京湾を進むにつれてその高さを下げて行ったが、それでも一〇—二〇メートル級の津波が押し寄せたのである。浮島（川崎市）から千葉県の木更津をつなげるアクアラインの海底トンネル部分は浸水、羽田空港も冠水した。橋げたの高さが五二メートルあるレインボーブリッジこそ無事であったが、浦安市（千葉県）にある東京ディズニーランドにも一〇メートル級の津波が襲い、まるで〝海中テーマパーク〟のようになってしまう。

東京都を地形で見ると、西部の山地、中央部の丘陵地と台地、東部の低地と大きく三分割できるのだが、中でも「江東デルタ」と言われる墨田区、江東区、足立区、葛飾区、江戸川区は総じて〝海抜ゼロメートル地帯〟だ。この五区は復興不可能なほどに壊滅する。大田区、品川区、港区、中央区にも甚大な被害が出た。津波は品川区の五反田を突破、目黒川を逆流して行き、最終的には中目黒まで濁流が届く。ちなみに山手線の品川、田町、浜松町、新橋、東京、上野、日暮里辺りは海抜ゼロメートルにあり、その周辺はあっさりと冠水した。

東京圏の低海抜の範囲と住民数
さいたま市
柏市
我孫子市
松戸市
葛飾区
練馬区
杉並区
江戸川区
新宿区
東京
船橋市
渋谷区
世田谷区
ディズニーランド
幕張メッセ
千葉市
羽田空港
川崎市
市原市
横浜市
海抜0m地帯
116km²
住民数
176万人
富津市
海抜 0m 以下
海抜 0 ～ 2m
海抜 2 ～ 4m
海抜 4 ～ 10m

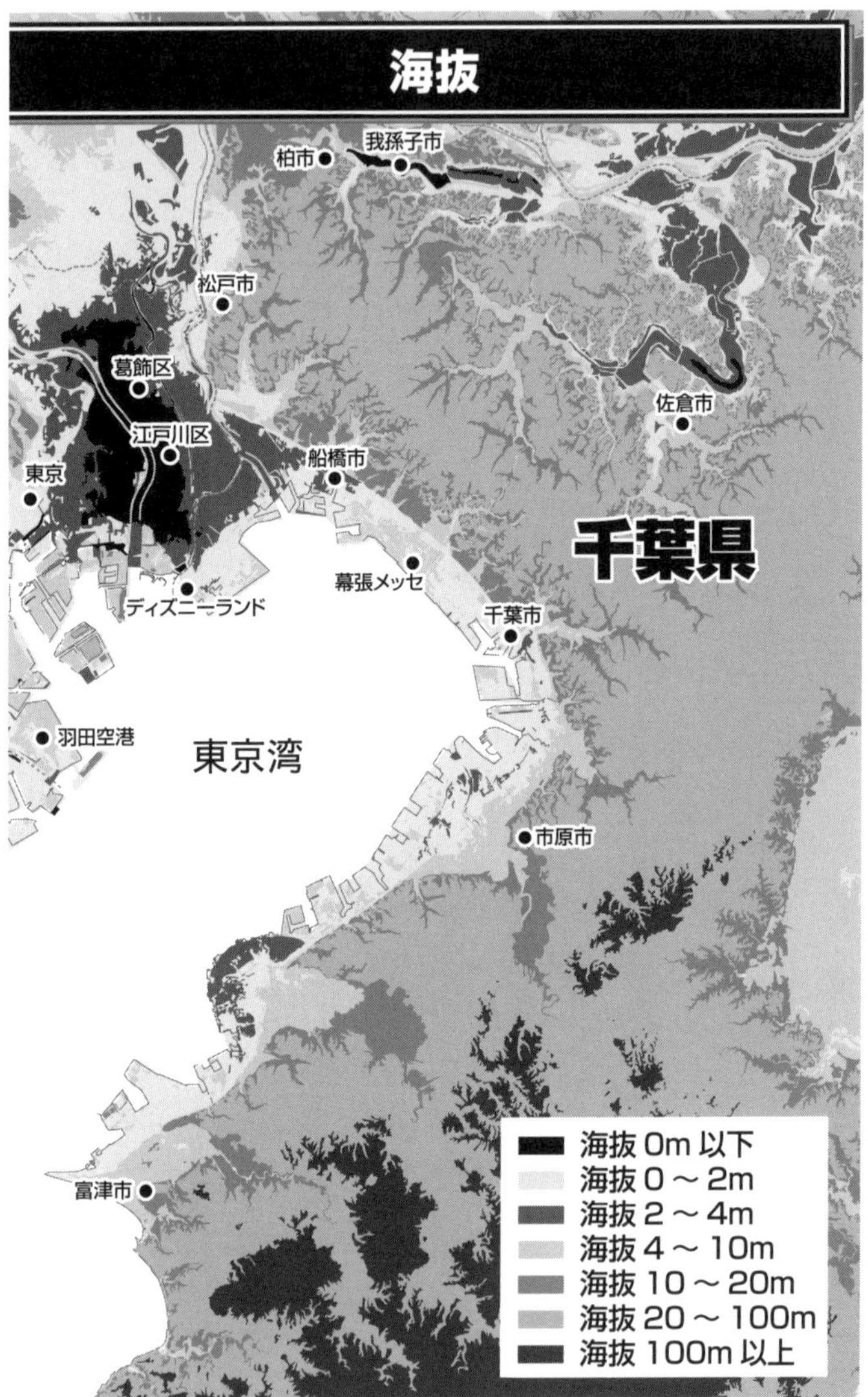
海抜
我孫子市
柏市
松戸市
葛飾区
佐倉市
江戸川区
船橋市
東京
千葉県
幕張メッセ
ディズニーランド
千葉市
羽田空港
東京湾
市原市
富津市
海抜 0m 以下
海抜 0 〜 2m
海抜 2 〜 4m
海抜 4 〜 10m
海抜 10 〜 20m
海抜 20 〜 100m
海抜 100m 以上

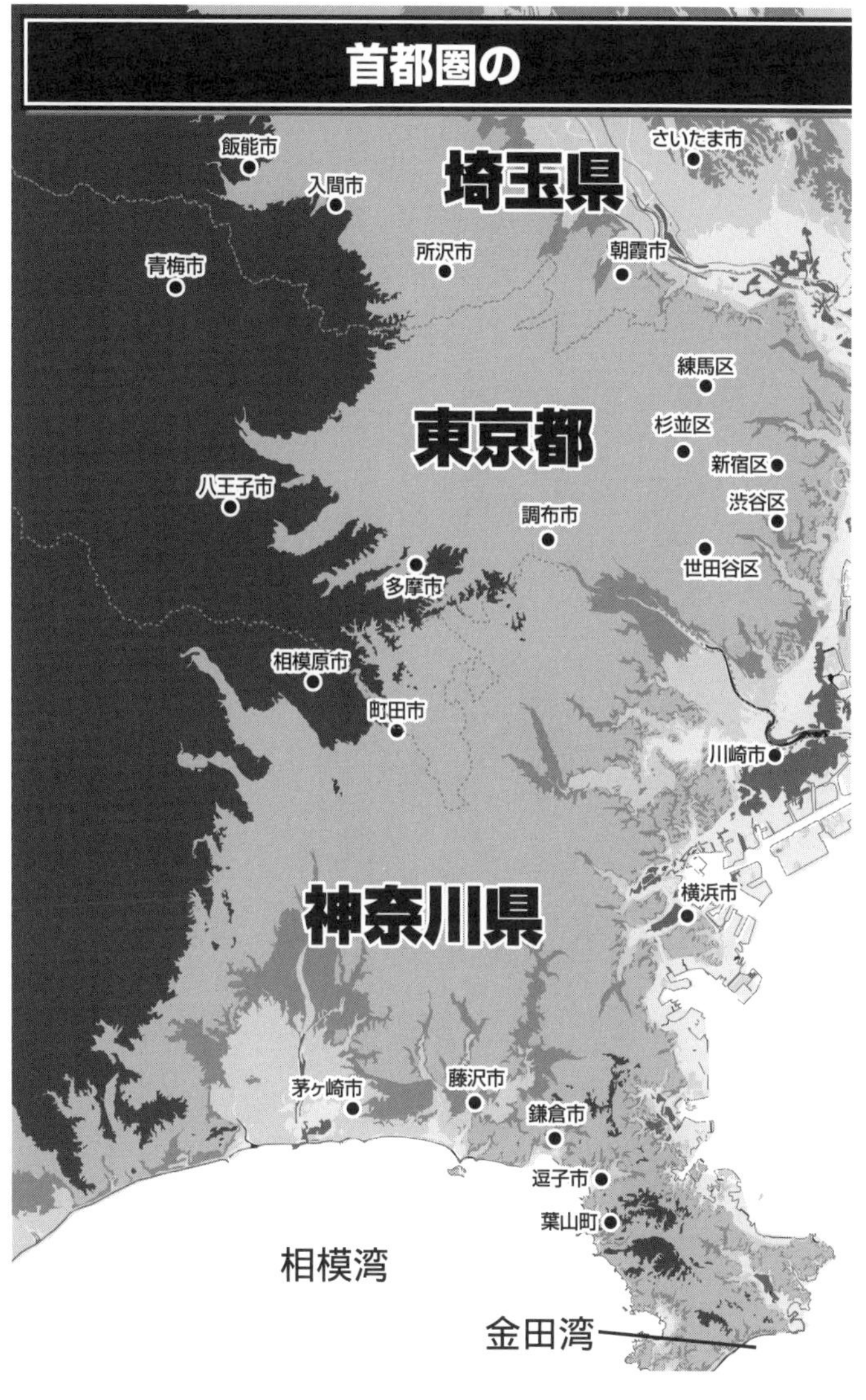
首都圏の
埼玉県
飯能市
入間市
さいたま市
青梅市
所沢市
朝霞市
練馬区
東京都
杉並区
新宿区
八王子市
渋谷区
調布市
世田谷区
多摩市
相模原市
町田市
川崎市
横浜市
神奈川県
茅ヶ崎市
藤沢市
鎌倉市
逗子市
葉山町
相模湾
金田湾

かくして東京都心を走るJR各線と東京メトロ、その他の私鉄は使用不能となる。とりわけ、海沿い（または川沿い）を走る京浜急行、京成線、東武伊勢崎線（特に浅草から草加のあたり）などは再起不能に陥った。鉄道で難を逃れたのは、西部を走るJR中央線や小田急線（小田原の近くは大きな被害が出た）、京王線、西武線、東武東上線くらいである。

千代田区の皇居にも津波は届き、江戸城の外堀と内堀は共に濁流で水位が急激に上昇する。天皇皇后両陛下をはじめとした皇族のほとんどは、ヘリで那須の御用邸に緊急避難していたため無事であった。また、九段下や水道橋も海抜ゼロメートル地帯であり、津波は東京ドームも襲っている。日本の政治機能の中枢である、永田町（国会議事堂や首相官邸）と霞が関もやられた。市ヶ谷の防衛省は浸水を免れたため、首相官邸などの機能は一旦、市ヶ谷に移動する。

東京への一極集中はかねてから問題視されていたが、政治や企業の中枢が麻痺したことで日本全体は一層のカオス（混沌）へと突き進んで行くことになった。また東京の海抜ゼロメートル地帯には、一七六万人が住んでいる。超過密都市の混乱振りすさまじく、結果的に万単位の死者数と行方不明者を出した。

ちなみに、神奈川県の横浜市は先の「関東大震災」でも津波によって甚大な被害を受けたが、今回はそれとは比べものにならないほどの打撃を受ける。横浜市は、沿岸部を中心に総じて標高が低い。津波は早々に関内を襲い、いつもは観光客でにぎわう横浜中華街は跡形もなく流されてしまった。

横須賀の米軍基地も、壊滅してしまう。寄港していた原子力空母ジョージ・ワシントンは大破した。江戸時代の東海地震では、下田港で碇泊（ていはく）中のロシア軍艦「ディアナ号」が大破したが、今回の津波高はおよそ五〇メートルもある。ジョージ・ワシントンの各種アンテナが設置された帆柱（ほばしら）までの高さは海面から八一メートルあるが、それでも津波の威力によって大きく損壊した。その他、アメリカの原子力潜水艦、自衛隊のイージス艦なども流されてしまう。

「令和の大津波」は、東北にも襲来した。千葉県の銚子を通過した時点でも津波の高さは五〇メートル以上を保っており、茨城県の神栖（かみす）市、鹿嶋市、大洗町をえぐるように浸水して行き、利根川を逆流した津波は霞ケ浦にも到達する。

津波は茨城県の日立市、高荻市、北茨城市を破壊しながらさらに北上。福島県のいわき市から相馬市の沿岸部をなぎ倒しながら進んで行った。福島県に到達した時点の津波高は、三〇—四〇メートル。「東日本大震災」の津波高は平均すると一〇メートルくらいだったので、あの当時を軽く上回る被害をもたらした。

津波は、まだまだ勢いを保ったまま仙台湾に突入。宮城県の山元町、多賀城市、七ヶ浜町、松島町、東松島市、石巻市、金華山をいとも簡単に呑み込んだ。東北の太平洋沿岸部にある原発、具体的には福島第一、福島第二、女川は廃炉、もしくは運転停止中であったが、それぞれ大きな被害が出たことから深刻な風評被害が起こる。

津波は宮城からさらに北上し、岩手県と青森県の太平洋側を破壊し、最終的には北海道の苫小牧市がどんつき（突き当たり）となり、西は函館市から室蘭市、襟裳岬から釧路市、根室市、さらには北方四島にも大きな被害を出した。北海道に到達した時点でも津波高は三〇メートルあり、まさに日本の沖縄から北海道にかけて太平洋側はすべて〝壊滅状態〟となったのである。

巨大津波からの生き残り方

皆さんは、藤子・Ｆ・不二雄の読み切り漫画『箱舟はいっぱい』をご存じだろうか。大まかなストーリーは以下のようなものである。

——サラリーマンの大山はある日、隣人の細川から「急にお金が必要になったので、五〇〇〇万円で自分の家を買わないか」と相談される。大山は長年マイホームの夢を抱いていた。しかも、隣人の細川の家は大きな庭付きの新築で、相場では土地だけでも二〇〇〇〇万円はくだらない。

帰宅後、大喜びで妻にことの顛末を話す大山だったが、一家が暮らす借家に「ノア機構」と名乗る男が家を訪ねて来た。「ノア機構」の男は、ずかずかと大山宅に上がり込み、ロケットの写真を見せながら「運の良い方だ。選出の確率の低さは天文学的でしたからね」と言い、突然五〇〇〇万円を請求して来る。大山には訳がわからない。すると、隣の細川の家と勘違いしていたことに気付いた「ノア機構」の男は、慌てて大山の借家を出て行った。また、大山の妻は細川のあまりにも条件が良過ぎる提案に、一抹の不安を抱く。

翌朝、大山は改めて家売却の件を細川に尋ねるが、彼の様子はどこかおかしい。さらに大山の息子が細川の子供とケンカし「みんなが死んじゃうけど、お隣の人達だけがロケットに乗れるんだ」と泣いて帰って来る。その理由を聞いて笑う大山の妻。今から三年前、〝カレー彗星〟が地球に接近し衝突すると騒がれたが、世界天文学会議は公式にそれを否定した……という騒動があったのだ。同じ頃、大山の同僚たちも雑談中にその話を持ち出すが、そのうちの一人が「実は否定声明の方が嘘で、権力者達は密かに人類救済策を計画している」と言い出した。彗星の件が本当なら今月末には地球の最後が来る。同僚は一笑に付すが、大山だけはどこか引っかかるものを感じた。

その夜、テレビ歌番組の生放送中に司会の男が「富士山の麓でジャンボなロケットが作られている。ひと握りしか乗れない！　地球は彗星とぶつかって壊れるんです！」と突然声を荒らげる。それを見て、衝撃を受ける大山と家族。

すぐさま細川の家に殴り込みをかけた。世間も大混乱となり、各地で暴動が発生。これに対し政府は、社会騒乱を狙った悪質なデマであり「彗星の衝突はない」と断言、真相解明に全力を尽くすと共に、国民に対し冷静な行動を取るよう呼びかける。

そして後日、「ノア機構」は三年前の騒ぎに目を付けた悪質な詐欺であり、根こそぎ検挙されたと報道された。笑いながらテレビを見る大山と家族。細川とも仲直りした大山は後日、細川の家族も誘って遠足に出かける。ところが日本の首相は、「彗星が地球に接触することは決定的で、大暴風雨、大地震、大津波など壊滅的な影響を受けるのは必至である」と真実の報告を受けていた。ノア機構は国民の目をそらすダミーであり、各地に作ったシェルターの許容人数は限られている。首相は無念のまま、シェルターへ向かった――。

話は再び現実に戻る。いずれにせよ、二〇二五年七月に実際にコトが起こるかはわからない。私も本音では、起こる確率は二〇％もないと思っている。一方で、どこか不気味な感覚を禁じ得ないことも事実だ。

ご存じのように、これまでも多くの〝預言者〟が登場し、そのほとんどは予想を外した。今回もそうなる可能性の方が高いかもしれないが、なぜか「二〇二五年」という数字に不思議な縁を感じるのである。仮にもたつき諒先生が言っているようなことが起きたとしたら、まさに大惨事だ。もはや、先の敗戦どころかではないインパクトで、日本社会にパラダイムシフト（その時代や分野において当然のことと考えられていた認識や思想、社会全体の価値観などが、革命的に、もしくは劇的に変化すること）をもたらすだろう。

反対に、二〇二五年七月に何も起きずとも今後の日本は、相当な困難に直面するはずだ。災害一つとっても、日本は近い将来に「南海トラフ巨大地震」「富士山噴火」「首都直下地震」などが起こり得る。それらが連動して「超巨大災害」になることも、想定しておかなければならない。

そこで、六〇メートルというある意味で突拍子もないほどの巨大な津波が起こった際、どうすれば生き残れるかを考えてみよう。

最善の策は、「事前避難」だ。先ほど紹介した『箱舟はいっぱい』で事前に大

津波による被害想定

	予想される津波の高さ		とるべき行動	想定される被害
	巨大地震の場合の表現	数値での発表（発表基準）		
大津波警報	巨大	10m超（10m<高さ）	沿岸部や川沿いにいる人は、ただちに高台や避難ビルなど安全な場所へ避難する。津波は繰り返し襲って来るので、津波警報が解除されるまで安全な場所から離れない。「ここなら安全」と思わず、より高い場所を目指して避難する。	木造家屋が全壊・流失し、人は津波による流れに巻き込まれる。
		10m（5m<高さ≦10m）		
		5m（3m<高さ≦5m）		
津波警報	高い	3m（1m<高さ≦3m）		標高の低いところでは津波が襲い、浸水被害が発生する。人は、津波による流れに巻き込まれる。
津波注意報	（表記しない）	1m（20cm<高さ≦1m）	海の中にいる人は、ただちに海から上がって海岸から離れる。津波注意報が解除されるまで海に入ったり海岸に近付いたりしない。	海の中では、人は速い流れに巻き込まれる。養殖いかだが流出し、小型船舶が転覆する。

惨事を知った首相がシェルターに逃げたように、もし、あらかじめ来ることがわかっているのであれば単純に事前避難すればよい。たつき先生の予知夢によると、Xデーは二〇二五年七月五日の可能性が高く、遅くともその三日前までには内陸部に移動しておくべきだろう。その際は、留守にする自宅の空き巣への対策を徹底しておくことが肝要だ。内陸部の旅館かホテル、友人・親戚の家に避難する。もちろん、友人や親戚がこうした話を信じてくれるかはわからないので、変に不審がられるのが嫌な方はホテルや旅館が無難かもしれない。

津波が襲った後の深刻な供給ショック（物資不足）まで想定しておいてもよいだろう。太平洋側沿岸にある主要な工業地帯、港湾、飛行場、石油コンビナート、国家石油備蓄基地、LNG（液化天然ガス）基地が破壊されてしまえば、日本の生産活動は完全にストップする。大停電も発生するであろうから、現代社会は一気に電気のなかった時代にタイムスリップしたかのような状況となるはずだ。そう考えると、三ヵ月分の物資を内陸部に備蓄しておくくらいでもよいかもしれない。もちろん、ホテルや旅館、友人や親戚宅にそこまでの量を備蓄するのは無理がある。そこで活用できそうなのが、全国で問題になっている〝空き家〟だ。内陸部の空き家を安く買い叩いて、倉庫として活用する。

「起きるかわからないことのために、そこまでできるものか」と思うかもしれない。確かにそうだが、今後三〇年以内におよそ七〇％の確率で起きると言われている「南海トラフ巨大地震」でも、相当な供給ショックが起こると言われている。南海トラフの被災地は、工業製品の出荷額が国内シェアの七割を占める「太平洋ベルト」と重なっているし、多くの石油コンビナートやＬＮＧ基地が破壊され、広範囲の停電が長期化しかねない。その意味でも、今後は内陸部に倉庫を持つことがより有効になる、と私は考えている。

当然、事前避難できない（しない）という人も多いはずだ。元々たつき先生のことを知っていたという人やこの本を通して知ったという人の中にも、「信じない」という人も多いだろう。そもそも沿岸部で暮らしている人の中には、そう簡単に引っ越しなどできないという人もいるはずだ。

そこで、次善の策として「事後避難」となる。「南海トラフ巨大地震」は強い揺れから逃げる間もなく（早いところは数分で）二〇―三〇メートルの津波が襲うと想定されているが、たつき先生の予知夢によると二〇二五年七月の津波の発生場所は〝フィリピン沖〟だ。おそらく、日本の太平洋側沿岸には三―四時間程度で到達する。そう、逃げる時間が十分にあるのだ。

十分にあると言っても、必ず逃げ遅れる人が出て来る。それこそ、本章の冒頭で述べたような「正常性バイアス」が働くからだ。「東日本大震災」では、津波が沿岸部に到達するまでに少なくとも三〇分くらいはあったとされている。それでも多くの人が逃げ遅れ、死者の九割が津波によって亡くなった。津波からの避難は「一目散」が基本である。とりあえず遠く、とりあえず高い場所へ逃げなければならない。しかも津波の到達までに三―四時間あるといっても余裕を持つ暇は一秒もないだろう。日本全体が〝パニック〟に陥るからだ。

何よりの悪手は〝車で避難〟しようとすることである。「東日本大震災」では避難者の六割が「車を使った」と回答しているが、このことが渋滞を引き起こし、被害の拡大につながった可能性が高い。これは都市部や地方を問わず、車で避難しようにもほとんど場合は渋滞で身動きが取れなくなる。これでは、せっかく荷台に詰め込んだ物資ともども無駄になりかねない。

やはり、「徒歩」「自転車」「バイク」での避難が基本となる。高齢者がいるなどやむを得ない状況でない限り、最初から車での避難を想定せず徒歩、自転車、バイクでの避難を想定しておきたい。最初のアクションが車だと、渋滞に巻き込まれたとしてもモノへの執着心が強く働き、逃げ遅れる可能性が出て来る。

徒歩の場合は、沿岸部からできる限り離れて、少なくとも六〇メートルよりも高い丘に登るなどした方がよい。都心部の場合も同じで、なるべく沿岸から離れ、台地や高いビルに「垂直避難」することだ。

「自転車」の場合は、かなり沿岸部から遠ざかることができるだろう。一般的な自転車の場合、一キロ走るのに必要な時間はわずか五分とされている。三時間あれば、優に沿岸部から一〇──二〇キロ離れることができ、そこからさらに垂直避難することが望ましい。

また、「バイク」も相当な機動力がある。近年、災害に強い乗り物としてバイクが注目されており、実際にバイクで災害支援する団体が増えてきた。「阪神・淡路大震災」の際には、大阪市から神戸市までの渋滞した道のりを車で一六時間かかったところを、バイクでは二時間で走破したという事例もあるという。バイクがあれば沿岸部から百数十キロの内陸まで移動することも可能で、それなりに荷物も積める。

とりわけ、高い積載能力と圧倒的な耐久性に加え（一七インチタイヤのおかげで荒れ果てた道も走ることができる）、超低燃費を誇るホンダの「スーパーカブ」は、多くの被災地でその威力を発揮して来た。日頃から持ち出し袋を点検しておき、食糧や水などを追加で携えてバイクで避難するのが最も賢い方策かもしれない。

たつき諒先生の予知夢に少しでも関心があるという方は、二〇二五年七月五日の三日前からニュースやラジオは付けっぱなしにしておこう。当日は朝三時には起き、身支度をすませていつ何が起きても大丈夫なように準備をしておく。ひとたびパニックが起これば、電話やインターネットは一気につながりにくくなるため、家族と一緒に避難できないという人は、あらかじめ内陸部に集合場所を決めておくのがよい。しかも、優先順位を決めた上で何ヵ所か候補を出しておいた方がよいだろう。それでも心配という方は、あらかじめアメリカの「スターリンク」といった「衛星 Wi-Fi」と契約しておくべきだ。

ちなみにスターリンクは日本でも使用することができ、一般利用者向けのプランは以下の二つ。

レジデンシャル：自宅など、一つの場所で使う人向け

ROAM：持ち運んで様々な場所で使う人向け

どちらを選んだとしても初期費用として五万七八五〇円かかり、レジデンシャルは月額六六〇〇円、ROAM月額九九〇〇円かかる。ただしROAMプランだと初期費用はかかるものの使わない月は料金が発生しないため、非常用として持っておくのには最適だ。個人での利用の場合、公式ページ（https://www.starlink.com）から申し込みができる。

原発のメルトダウンを想定した避難計画を

さて、あなたが原発の近くに住んでいた場合、放射能〝難民〟となってしまう可能性は否定できない。特に、太平洋側に位置し津波の被害を受け得る「川内原発」「浜岡原発」「福島第一・第二原発」「女川原発」の近くは要注意だ。このすべてで重大なインシデントに至るかはわからないが、最悪の場合は深刻なメルトダウンが生じる。中でも、再稼働した川内原発が要注意ではないか。もしあなたがそうした原発から五〇キロ圏内に住んでいる場合、他の人とは違う特別な準備計画を持たなければならない。

「東日本大震災」の際の福島第一原発では、一号機から三号機は津波などによる影響で冷却装置が停止、核燃料が溶け落ちる「メルトダウン」が発生した。さらに発生した水素が建物の上部にたまり、一号機と三号機、それに水素が三号機から流れ込んだ四号機で水素爆発が起きている。今回の「巨大津波」に

原子力発電所マップ

泊発電所
大間原子力発電所
東通原子力発電所
敦賀発電所　大飯発電所
美浜発電所　高浜発電所
女川原子力発電所
柏崎刈羽原子力発電所
福島第１第２
原子力発電所
志賀原子力発電所
東海発電所
東海第２発電所
島根原子力発電所
玄海原子力発電所
上関原子力発電所
浜岡原子力発電所
伊方原子力発電所
川内原子力発電所

よって、一部の原発は当時と同様の状況に追い込まれる可能性が高い。ちなみにメルトダウンとは原子炉の冷却装置が停止することで、炉心の熱が異常に上がり（燃料ウランを溶解し）、そのため原子炉の底部が溶けてしまうことを指す。

国際原子力事象評価尺度（ＩＮＥＳ）は、国際原子力機関（ＩＡＥＡ）と経済協力開発機構原子力機関（ＯＥＣＤ／ＮＥＡ）が定めた尺度で、原子力災害には一から七のレベルがあるのだが、「最悪の事態」（レベル七）でも原発から半径五〇キロメートル圏外は「安全地帯」だということを覚えておいてほしい。このことを頭に入れておけば、万が一にも情報もない中で原発事故が発生したとしても、避難するべきかしないべきかを判断するのに役立つはずだ。

そもそも、なぜそんなことが言えるのかというと、それは「チェルノブイリで発生した原発事故」（レベル七）からの教訓にある。意外かもしれないが、炉心溶融により大規模な水蒸気爆発を引き起こしたチェルノブイリの原発事故においても、「水蒸気爆発による放射線被害」は半径五〇キロメートル圏外では確認されていない（「放射能汚染」に関して言えば、チェルノブイリの原発から半径六〇〇キロメートルの地点でも深刻な被害が確認されている）。

混乱するかもしれないので補足を加えるが、原発事故による〝被ばく〟は大まかにわけて二種類あり、一つは放射線源が体外にあって人体表面から直接に照射されて（直接線によって）被ばくする「外部被ばく」だ。たとえば「核燃料が溶融し水蒸気爆発を起こした際に外出していて、撒き散らされた放射線を浴びてしまった」というのは、外部被ばくに当てはまる。二つ目は、経口摂取した放射性物質などで人体内部から被ばくする「内部被ばく」だ。これは、放射能によって汚染された土地の作物などを食べて被ばくするといったものである（余談だが、この他にも「自然被ばく」と「医療被ばく」がある）。

原発事故と聞くと、多くの方は「水蒸気爆発」をイメージすると思うが、実は原発事故で深刻なのは「水蒸気爆発」ではなく「放射能汚染」の方である（放射能汚染は水蒸気爆発が起きなくても発生する）。現に、チェルノブイリの原発事故においても水蒸気爆発による外部被ばくで死亡したのは、事故発生時に原発で作業していた従業員だけだ。前述した通り、水蒸気爆発による外部被ばくの健康被害に関しても半径五〇キロメートル圏外では確認されていない。その他ほとんどの被ばく者は、爆風によって撒き散らされた放射能物質により汚染された土地の農産物や海産物などを食べて内部被ばくしたのである。

何が言いたいのかと言うと、原発事故発生直後に起こり得る「水蒸気爆発（レベル七）による外部被ばく」を防ぐのであれば、原発から半径五〇キロメートル圏外に避難することができれば問題はないということだ。原発付近に住んでいる人は、自身の家や会社が原発から半径何キロメートルに位置しているかをきちんと確認しておくべきである。そして、「初動の避難は、とりあえず原発から半径五〇キロメートル圏外への脱出」ということを頭に叩き込んでほしい。

この「初動」とは、原発事故では最悪の「水蒸気爆発」（レベル七）による「外部被ばく」を受けないためのものだ。言い方を変えると、その後に影響が懸念される（正確に言えば水蒸気爆発に至らなくとも起こる）「放射能汚染」による「内部被ばく」に対しては、半径五〇キロメートルからの脱出でも足りないかもしれない。ちなみに福島第一の事故では、三月一五日頃から広域規模での

「東日本大震災」と「南海トラフ巨大地震」被害想定比較

	東日本大震災	南海トラフ巨大地震（最悪の想定）
マグニチュード	M9.0	M9.1
最大震度	7	7
主な被災地域	東北太平洋沿岸	東海・近畿・中国・四国・九州
死者数	1万5899人（2021年3月時点）	32万3000人
被害総額	20兆円	220兆3000億円

放射能汚染（本格漏洩）が確認されている。

今回の大津波による原発の放射能汚染がどこの範囲までおよぶかは、正直なところ未知数だ。放射性物質の拡散経路は大気、もしくは海洋を伝ってのことだが、これを事前に予測することは不可能に近い。前述したように、チェルノブイリでは六〇〇キロ先まで放射能汚染が確認されている。しかしながら、大津波の被害が出ている状況で六〇〇キロも避難するのは現実的ではない。場合によっては、逃げるよりも密閉された室内で過ごした方がよいとも考えられる。

兎にも角にも、六〇メートル級の津波が各地を襲えば中央政府や地方自治体の機能などは瞬く間に失われるであろうことから、彼らからの支援や指示はほぼ期待できない。自助努力、自身の判断と裁量での避難を余儀なくされる。SFパニック映画ではないが、中央政府や地方自治体が機能しなくなれば、当座はその土地ごとに自治政府を作って生きて行く他ない。第二章の「小説」にもあったように、こうしたことが太平洋沿岸部のあちらこちらで自律的に発生し、この国の形を大きく変えて行くことだろう。

【財　産　編】

経済大国日本の衰退と崩壊

二〇二四年、日本はまた一つ経済大国の地位を後退させた。これまで世界第三位の経済大国であったが、残念ながらＧＤＰ（名目ＧＤＰ）をドイツに抜かれて第四位に下がったのである。

抜かれた要因には、ドイツの高インフレと円安の二つが挙げられて解説されているため、巷(ちまた)では一時的なことで大したことがないようにとらえられている。あまり新聞・ニュースなどで大々的に取り上げられていない。しかし、実はこれは一時的な現象ではまったくなく、別の根本的な問題が生じている状態であり、私たちはもっとこのことを深刻にとらえた方がよい。というのも、日本の

GDPを見るとこの三〇年ほど日本がほとんど成長していないことは明らかで、このままではドイツだけでなく成長を続ける世界中の国にどんどん抜かれていずれ日本が世界各国の後塵を拝することになる可能性が高いのである。

日本と世界の成長スピードの違いを、GDPから見ておこう。日本がバブル景気に沸いたのは、一九八〇年代後半のことだ。一九八九年末に株がピークを付け、その二年後の一九九一年夏に今度は不動産がピークを付けた。そのようなバブルの余韻を残した一九九二年まで、日本のGDPは順調に推移している。

一九八〇年に二五五・七兆円だった日本のGDPは、それから一二年後の一九九二年に五〇五・一兆円と、二・〇倍になっている。この間、世界最大のGDPを誇るアメリカも現在日本を追い抜いたドイツも、ほぼ同じ成長幅でそれぞれGDPを約二倍に増やしている（アメリカは二・三倍、ドイツは二・二倍）。この一二年間は日本も他の国と同様に好成長を遂げており、年率平均の成長率では五・八％にもなる。

ところが、日本はその後に成長がはたと止まってしまう。一九九二年から三

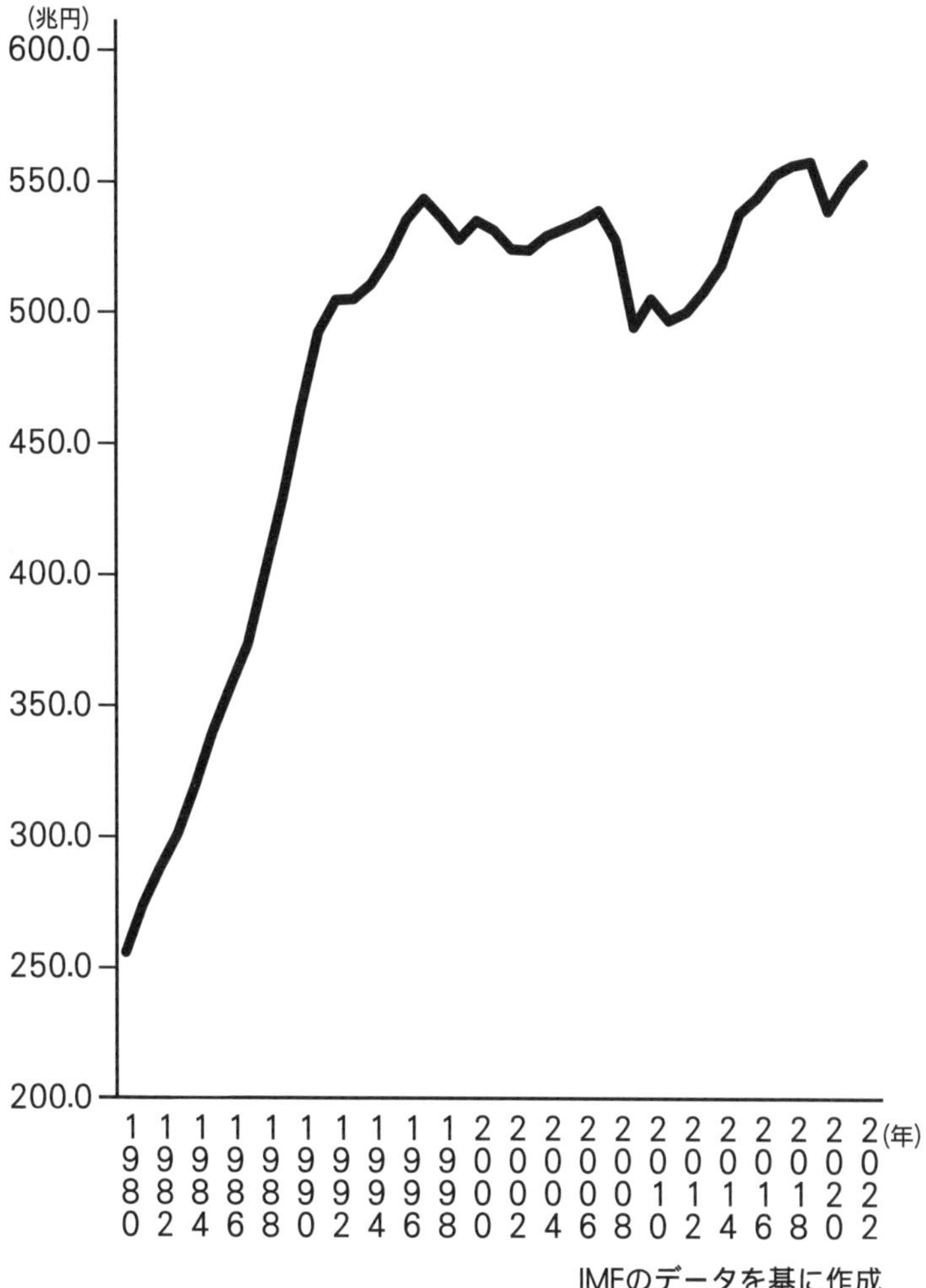
日本の名目GDP
(兆円)
600.0
550.0
500.0
450.0
400.0
350.0
300.0
250.0
200.0
1980
1982
1984
1986
1988
1990
1992
1994
1996
1998
2000
2002
2004
2006
2008
2010
2012
2014
2016
2018
2020
2022
(年)
IMFのデータを基に作成

〇年経った二〇二二年のＧＤＰは五五七・二兆円で先ほどの五〇五・一兆円から一・一倍にしかなっておらず、年率平均では〇・三％と雀の涙ほどのわずかな成長しかできていないのである。

この体たらく振りは他の国と比較すると明らかで、アメリカは同じ三〇年間でＧＤＰを三・九倍にもしており、年率平均では四・七％の高い成長率となっている。ドイツは、アメリカほどではないが同じ期間でＧＤＰを二・三倍にしており、年率平均では二・八％とこちらもしっかりと成長している。

このように、今回の日本とドイツの順位交代劇は、単に円安とドイツの高インフレという一時的な要因によるものだけでは決してなく、これまでの長年の成長幅の差が積み重なって起きたことなのだ。そして、今のように日本がこのままほとんど成長しない状態を続けると、これから二年のうちにＧＤＰはインドに抜かれることが確実視されており、一〇年以内にはイギリスなどの他の国に抜かれる可能性がある。

さて、このように何もなくても自然と衰退して行く日本ではあるが、これまでお伝えして来たように巨大津波が日本を襲えば、衰退のスピードが速まるどころではなく瞬時に国（というよりも、国の財政と経済という言い方が正しい）が崩壊してしまう可能性が高い。被害状況については他の章で詳しく述べているのでここでは至極簡単に触れるが、日本の生産能力の四〇―五〇％が消滅すると推定される。それはすなわち、日本のＧＤＰが六割または半分にまで減ることを意味する。

ここまで極端にＧＤＰが減少すると、ＧＤＰの世界ランキングも一気に順位を落とすことになる。現在のＧＤＰランキングのトップ一〇を一位から順に挙げると、一位アメリカ、二位中国、三位ドイツ、四位日本、五位インド、六位イギリス、七位フランス、八位イタリア、九位ブラジル、一〇位カナダとなっている。ここで日本のＧＤＰが六割になると、ランキングはフランスを下回り日本は七位まで低下する。そしてＧＤＰが半分にもなればＧ７の中で一番低い順位となり、トップ一〇ぎりぎりの一〇位までランクを落とすことになるのだ。

すさまじい供給不足で〝ハイパーインフレ〟に

巨大津波により、ＧＤＰが六割から半分にまで低下する過程において、国民生活はこれまででは考えられない状況に陥る。

まず、日本中に広がる被災地では、家屋を含めてありとあらゆるすべてが失われているわけだが、そこにつながる道路や鉄道、空港や港といったインフラも壊滅的な状況に陥っていることだろう。

すると圧倒的なモノ不足により、物価が急激に上昇することが考えられる。これまでも二〇一一年の東日本大震災や直近二〇二四年の能登半島地震など災害が発生した時に、一部ではモノの値段を釣り上げる行為が実際に発生している。ただ、その際にはインターネットのＳＮＳなどでそれをあさましい行為とする非難の声が上がり、価格が修正されたりしてすぐに事態は沈静化している。

しかし今回は、日本列島の至るところで被災するわけで、しかも物流が大混乱している状態である。どこかに行けば欲しいモノが確実に手に入るという保証もない。だから、極端なモノ不足で当然、値段は大きく上昇するだろう。品物によるだろうが、中には一瞬で三―一〇倍になるものも出て来るに違いない。

中でも、「石油」は激しい供給不足に見舞われる。津波で主要な港は使いものにならなくなり、海外からの石油の供給が途絶えることは容易に想像がつく。また、石油コンビナートのほとんどは海岸近辺にあるため、九割は稼働停止、またはそれ自体が津波の被害で消滅している可能性すらある。だから、石油を原料とする製品の生産は、一〇分の一まで落ち込むだろう。

同じく海岸近辺で言えば、電力も致命的な供給不足に陥る可能性が高い。現在日本の電力需給を支えているのは「火力発電」だ。火力発電は、燃料となる天然ガスや石炭、石油を海外から入手しやすくするために、また事故が起きても都市部に直接の被害がないように、そしてすぐに冷却できるように海岸沿いに建設されている。すると、福島第一原発のことを思い出してほしいが、津波により設備自体がダメージを受け、稼働できなくなることが十分想定される。

石油も電力もなくなれば、石油（ガソリン）や電力を動力源とするガソリン車、ハイブリッド車、ＥＶ車と、車がすべて走行不能になる。元々壊滅していた道路というインフラに加え車自体も動かないわけで、物流は九五％がストップすることだろう。モノが必要なところに届かなくなり、結果さらにインフレが加速することになり、ハイパーインフレと円安がどんどん加速して行くわけだ。人々はコンビニやスーパーに並ぶも一〇日に一度のトラック配送では焼け石に水で、商品の奪い合い、略奪行為の発生にまで発展するだろう。そうなれば、ついに自治会がすべてコントロールする太平洋戦争時の配給制が布かれることになりかねない。

では、しばらくしてこの事態が一旦落ち着き始めれば、日本はきちんと復興へ向かうのか。もちろん、日本の国としては復興に向かおうと努力するだろう。そして、一時的には調子の良い時期が来るかもしれない。しかし、それは長続きしない。ニューヨークのウォール街に「デッド・キャット・バウンス」という格言がある。これは、死んだ猫でも高いところから落とせば多少跳ね返るという意味だ。相場の格言で、株価などが大暴落すれば一旦はそこからリバウンドが見込めるという意味である。それと同様に、日本も突然大きく転がり落ちれば、そこから少しは反発して戻るだろう。しかし、死んだ猫はその後自ら飛び上がることはない。残念ながら、これが今の日本の姿である。

すでに日本は成長しない国であり、どんな理由であれ一度ＧＤＰを大きく落としてしまうと、そこからしっかりと這い上がり立ち直ることはできないのだ。「なにくそ」という、気概のある不屈の精神はすでに日本には存在していない。だから、一時的に平時に向かって行くように見えてもそれは錯覚であり、しばらくするとまた下の方へずるずる落ちて行くことになる。

しかも、あなたはさらに絶望を感じるかもしれないが、日本の〝悲劇〟はそこからが本番である。巨大津波によりＧＤＰが大きく削られ国民の生活が混乱している状態は、恐ろしいことにまだ前哨戦でしかないのだ。

では、その〝恐るべき本番〟とは何を指すのか。それは、浅井先生がよくお話しされる「国家破産」なのである。

ツケは日銀に、だから日本はインフレへ

日本の財政状況は、すでに解決不可能な状態に陥っている。毎年垂れ流される赤字によって債務が膨張を続けており、今にもそれは制御不能となり暴走しそうになっている。二〇二四年二月九日に財務省が発表した二〇二三年末時点の国の借金（国債や借入金、政府短期証券の残高の合計）は、一二八六兆四五二〇億円であった。毎年恒例のように金額は増加を続けており、もちろん今回も過去最大を更新している。日本のＧＤＰは同じく二〇二三年末に五九一・四兆円だから、ＧＤＰ比で二〇〇％を超えている。

普段お目にかかることのない兆単位の金額やＧＤＰ比などの数字で見てもイメージが湧きにくく、どこか他人事に感じるかもしれない。そこで、よく財政を解説する時に使われる「家計」にたとえて説明しておこう。かっこ内に実際の国の数字を入れているので、そちらも併せて確認いただきたい。

登場人物は、まだ若くして結婚したばかりのAさんとBさんご夫婦である。共働きで世帯年収七七一万円（税収：七七・一兆円）であるが、それだけでは生活する上で足りず、毎年借金をしていて二〇二三年は三四九万円（国債：三四・九兆円）の借金をした。というのも、無理をして買ったタワーマンションの住宅ローンが大きくのしかかり、それに対する費用が二〇二三年は二七九万円（国債費：二七・九兆円）かかったことも一つの要因であり、今年使ったお金の合計は、一一二一万円（歳出総額：一一二・一兆円）にもなる。ただここで注意したいのは、毎年返す金額よりも借りる金額の方が大きいため借金は雪だるま式に膨れ上がっており、借金の累計残高は一億二八六五万円（国の借金：一二八六・五兆円）にものぼる。

ポイントだけもう一度整理すると、年収七七一万円の共働きの夫婦が、借金を合計一億二八六五万円している。二〇二四年度は借金を二七九万円返済するがお金が足りず、結局それ以上の三四九万円を追加で借金する見込みである。こんな家計は日本中どこを探しても存在しない。そもそも、年収七〇〇万円台で一億円を遥かに超える借金をすることが無謀である。この状況で新しくお金を貸してくれるところはあり得ず、この夫婦が実際にいたとすれば、すぐにでも生活は破綻する。しかし、これが日本の現状なのである。このように家計にたとえると、いかに日本が愚かでおかしな状況に陥っているかがわかるだろう。

このようなおかしな家計を立て直すためには、どうすればよいだろうか。基本は無駄遣いをなくし、徹底的に出費を削減、入って来た収入で少しでも余剰分があればきちんと返済して行くことだ。では、徹底的に出費を削減できるかと言えば、日本国の歳出の最も大きいのは三分の一を占める「社会保障費」で、これを削るのは難しい。少子高齢化の道を進む日本は、今後社会保障費が増えることはあるにしても減ることは到底考えられない。他の歳出も、削減しようとすれば管轄の官僚などに反対されてスムーズに進むはずはない。

次に、収入の余剰分で少しずつ返済できるかと言えば、税収が増えたら、選挙対策のためなのかすぐにばら撒こうとする日本の政治家などの現状を見ると、こちらも無理に見える。そもそも、国が借金の返済をきちんとしようと考えているかどうかも怪しい。ここが、家計の借金と国の借金が異なる点である。国は寿命を考えなくてもよく、しかも退職などなく毎年一定額の税収が入って来る組織であるから、一括返済を迫られることのない無期限を前提とした借金ができる。だから、いくら借金をしても貸してくれるところさえあれば、その間は持続可能なのである。

そして、莫大な借金が積み重なる過程において、日本国は無尽蔵にお金を貸してくれる素晴らしい貸し手を見付けたのだ。それこそ、「日銀」である。日銀は日本国が発行した国債を金融機関経由でどんどん購入し、いまや国債の半分以上を保有する機関となっている。つまり、国は借金を日銀に〝飛ばし〟て体制を維持しているのである。

財政赤字を賄うために中央銀行（日本では日銀）が国債を直接引き受けることは「財政ファイナンス」と呼ばれ、世界共通の禁じ手とされている。日本でも財政法第五条で、「すべて、公債の発行については、日本銀行にこれを引き受けさせ、又、借入金の借入については、日本銀行からこれを借り入れてはならない」と明確に禁止している。これに対して日銀は、「国から〝直接〟引き受けているのではなく、銀行から買っているので（〝間接〟引き受けなので）問題ない」と変な言い訳を繰り返すのみだ。ただ、実際には銀行が国から購入した国債をすぐに日銀が引き受けたりしながら、日銀は国債発行額の半分以上を抱えているわけで、財政ファイナンス以外の何物でもない。

世界各国で財政ファイナンスが禁じ手とされているのには、きちんとした理由がある。それを行なうと、財政規律がなくなり歯止めの利かないインフレが起こるためである。ところが、これまで少なくとも二〇二一年までは日本では本格的なインフレは起きておらず、財政ファイナンスを行なっても日本だけは例外であるかのような〝謎の現象〟が起きていた。

しかしそんなはずはなく、実際は単にインフレ到来が遅れていただけであった。二〇二二年の年初、一ドル＝一〇三円ほどであった為替は、その年一時一五一円台を付けている。政府は慌てて為替介入を三度行ない年末には一三一円に戻ったものの、二〇二三年、そして二〇二四年に入っても変わらず円安傾向が続いている。その間に、アメリカではインフレ（通貨安）が深刻化していたにも関わらず、円高になるどころか逆に円安になっているのだ。しかも二〇二三年頃からは、アメリカのインフレが日本にも影響をおよぼし始めている。財政ファイナンスの弊害がいよいよ出始め、日本において深刻なインフレがすでに始まっているのだ。

高額〝インバウンド価格〟はハイパーインフレの前兆

　最近、お昼のワイドショーなどで極端に高いインバウンド客用の価格が面白おかしく報道されている。北海道ニセコのスキー場では外国人観光客があふれかえり、そのインバウンド客目当てに「かつ丼三〇〇〇円」や「天丼特上七〇〇〇円」などと、通常よりも高額の値段が話題になっている。また豊洲市場では、豪華海鮮丼が〝インバウン丼〟と呼ばれ一万八〇〇〇円で紹介され、一部にはやり過ぎではないかという声が上がっている。あるタレントが、函館のなじみの飲食店の価格がこれまでの二倍以上に値上がりしていることについて、「お前ら、いい加減にしろよ。二度と来ないから」と注意したことが「Yahoo!」のネット記事に取り上げられた。それに対して「よく言ってくれた」「ぼったくり」などのコメントが付いていて、先ほどのワイドショーのように風刺批判を楽しむかのようである。

誰もがこの現象が一時的であることに疑いを持っておらず、もし高額商品が継続して提供されるにしても、インバウンド価格とこれまでの通常価格が二極化されることを想定している人がほとんどだろう。果たして、本当にそうだろうか。今から一年ほど前のワイドショーを思い出してほしい。連日のように、海外の物価がいかに高くなっているかの報道がなされていた。ニューヨークのタイムズスクエアにある博多ラーメン「一蘭」がラーメン一杯三〇〇〇円超えでも行列が絶えないことが報道され、ハワイに出店している丸亀製麺がかけうどん一杯八〇〇円で、こちらも現地では〝格安〟と行列ができていることが紹介されていた。「海外はインフレでずいぶん高くなった」とテレビ画面越しに見ていた方も今はすっかり忘れているかもしれないが、もちろん今でも値段は下がっておらず、海外の物価は高いままである。

そして今回の日本におけるインバウンド価格は、その海外の高い物価が輸入されて来た現れであり、これを一時的な現象と切り捨てることはできない。日本各地にこの高額なインバウンド価格が伝播して行くことが、十分考えられるのである。今、日本では財政ファイナンスを根本的な原因としたインフレがじわじわと拡がっており、それに気付いた時には日本中のありとあらゆるモノの値段が「インバウンド価格」になっていることが起こり得るのである。

そうなると、特別な海鮮丼一万八〇〇〇円、普通の海鮮丼五〇〇〇―八〇〇〇円ほど、ラーメン一杯三〇〇〇円という世界である。インバウンド客が「日本は全体的に少し高くなったけど、でもこのボリュームだとまだまだお得だよね」と言いながら美味しそうに海鮮丼を頬張（ほおば）っている姿を横目に、日本人は家から持って来たおにぎりを食べながら、「もう半年くらい、外食に行ってないな」とぼやくのである。

ここで注意してほしいのは、この未来はこのまま日本が進めば数年のうちに起こり得る事態であるということだ。そう言うと、そうではないもっと明るい未来も日本に用意されているのかと思われるかもしれないが、勘違いしないでほしい。もう一つの道は、「瞬時に日本中がインバウンド価格の渦(うず)に叩き落とされる」という、さらに地獄の道である。

二〇二五年七の月に起きる大津波により、日本のGDPが六割から半分に落ち込んだ場合、日本の税収も六割から半分に落ち込む。それと同時に莫大な復興費もかかることになる。再度、先の共働きの夫婦に登場してもらうと、一人が交通事故の加害者になり自分自身も入院、結果、夫婦の収入が六割または半分になると同時に多額の損害賠償金の支払い義務が生じている、というような状態である。もちろん、赤字体質と巨大な借金はそのままだ。こうなると、いかに国とはいえ、〝お手上げ〟の状態である。

日銀と日本国の同時信用失墜

六〇メートルの津波が来てＧＤＰが四割から五割削られれば、税収も半分以下となる。加えて、震災の復興費として五〇〇兆円規模の財政出動となれば、政府は〝お金の出し手〟として日銀に頼るしかない。日銀が財政ファイナンスを行ない、五〇〇兆円分すべての国債を引き受ければ、今起きている円安がさらにすさまじいものになるだろう。今のような、一部の商品がインバウンド価格になっているインフレではなく、極めて短い間に〝すべての商品がインバウンド価格と見まがうほど、値上がりする〟ことが考えられる。

この要因は、日本国の信用低下と同時に日銀の信用低下でもある。日銀は〝通貨の番人〟という役割でありながら、現状では円の価値を維持することに重点を置かずにひたすら国の借金の引き受けを行なっている。その額は、二〇二四年三月一〇日時点で日本のＧＤＰよりも多い、五九九兆五七八九億円である。

それが、震災復興費としてさらに同程度の規模の五〇〇〇兆円増えて、日銀の国債保有額が一〇〇〇〇兆円を超えれば、いかに日銀が「財政ファイナンスではありません」と言い訳を続けたとしても世間は決してそうは見なさず、円は一ドル＝一〇〇〇〇円以上のハイパーインフレになるだろう。

このようなハイパーインフレが起きたとしても、日本はその大混乱の中でなんとかやって行こうとする。だから日本人は、ハイパーインフレ下の生活を余儀なくされる。しかし、いまだに経済大国である日本がハイパーインフレで大混乱に陥れば、世界にも多大な影響が考えられる。諸外国もしばらくは我慢するかもしれないが、二年も経てば世界に混乱を垂れ流す日本に対して、特にアメリカがしびれを切らし、日本にＩＭＦを送り込んで来るだろう。

そうなると、日本人にとっては増々の悲劇となり、「預金封鎖」や「財産税」「徳政令」という〝三大劇薬〟が投入されることになる。これらにより、国民の資産は国によって収奪されるのである。戦後の預金封鎖や財産税、徳政令については国家破産の専門家である浅井先生にアドバイスで詳しく解説して頂くので、実際に国がおかしくなると国民に対して何をするのかを、しっかり確認してほしい。

浅井隆のアドバイス〈その１〉

預金封鎖と財産税、徳政令の三大劇薬が投入された戦後の日本

戦後の預金封鎖が行なわれたのは、一九四六年二月一六日土曜日のことである。日曜日の新聞で、各紙が一面で「けふ（今日）から預金封鎖」と大きく報道した。国民にとっては〝寝耳に水〟のことでパニックとなったが、日曜日に金融機関は開いておらず、どうすることもできない。「わかった時には、すでに銀行に入れていたお金が自由に使えなくなった後」だったのである。

封鎖された預金からは、世帯主が月額三〇〇円、世帯員一人に対して一〇〇円が生活費として引き出しを認められ、その他はすべて凍結された。当時の流行語「五〇〇円生活」という言葉は、そこから生まれたものである。一九四六

年当時の公務員の初任給が五〇〇〇円ほどだったことを考えると、現在価値で二〇—二五万円ほどである。日本国民は一律、一世帯当たりこの金額で毎月の生活を強いられたのである。その預金封鎖が解除されたのは一九四八年七月だったから、二年半も封鎖されたことになり、その間のインフレで預金の価値はどんどん目減りして行った。

預金が封鎖された最大の理由は、太平洋戦争後の後処理で行き詰まった財政状況を強制的に立ち直らせる目的で、財産税を徴収するためであった。そのため、預金が封鎖されてからすぐに重要なことが矢継ぎ早に発表されている。

まず、預金封鎖と同時に発表されたのが「新円切替」だ。新円を発行し、旧円の使用期限を一九四六年三月二日までとし、三月三日以降は法貨と認めなかったのである。銀行へは三月七日まで預金できるようになっており、おろす時は新円で受け取れるようになっていたが、肝心の預金は封鎖されていた時期で、要するに国が国民の隠し持つ現金を預金に移すようにあぶり出しをしたわけだ。そして一九四六年三月三日午前零時の時点の財産を国民が各々洗いざらい記述し申告することを強制し、その申告金額に対して超過累進課税の財産税を課したのである。財産税の税率は最大九〇％と、とんでもない金額であった。もちろん預金封鎖が解除されたのは、財産税が取られた後のことである。

申告する財産は、「生命保険」や「不動産」「株式」「金」「骨董品」などありとあらゆる資産がその対象になっている。そのため、不動産だけを持っていた資産家は財産税を払うことができずに、自分の持っている不動産や他の資産を〝物納〟することになった。二五三ページのように資産家ほど税率が高いわけで、これで多くの超富裕層が姿を消すことになった。ただ、資産はすべて自己申告制で、当時は預金以外の資産について国はほとんど把握することが困難だったことは、生き残りを考える上で重要なポイントである。

さて、「預金封鎖」と「財産税」、そして「インフレ」によって国民の資産の大部分は奪い尽くされたわけだが、これで終わりではない。厄介だったのは戦勝国ＧＨＱの存在で、法人対象の〝戦時補償債務の切り捨て〟である。戦時中、国は戦争遂行のための軍需品の購入などを通じて多くの企業に多額の債務を負っていた。国が民間に対する債務、「戦時補償債務」である。それに対して、GHQは軍需産業への補償を許さず、戦時補償債務の請求権に対して「戦時補償特別税」を一〇〇%課税したのである。実質借金の棒引き、「徳政令」である。

補償を打ち切られた企業は、国から入って来るお金が突然踏み倒されたことで資金を借りていた銀行への返済能力を失った。それによって、銀行にとってもそれまで大手企業向けの優良な融資だったものが、突然不良債権に変わってしまったのである。そこで銀行が取った処置が、「封鎖預金の分割」である。

預金を一般庶民向けの小口預金（原則一口三〇〇〇円未満）の「第一封鎖預金」と大口預金の「第二封鎖預金」に分割したのだ。そしてそれに対応する銀行の資産を、第一封鎖預金には健全な資産を、第二封鎖預金には先ほどの戦時補償債務を充てたのである。戦時補償債務はすでに償還不可能な状態だから、第二封鎖預金の多くはなんとそのまま切り捨てられたのである。切り捨て率は、当時最大の都市銀行であった帝国銀行（現、三井住友銀行）で七六%にも達している。つまり、大口預金を行なう資産家は、財産税だけでなく〝預金切り捨

戦後の「財産税」の税率

対象資産	税率	今の資産規模にすると
10 万円を超える金額	25%	4,000 万円を超える金額
11 万円を超える金額	30%	4,400 万円を超える金額
12 万円を超える金額	35%	4,800 万円を超える金額
13 万円を超える金額	40%	5,200 万円を超える金額
15 万円を超える金額	45%	6,000 万円を超える金額
17 万円を超える金額	50%	6,800 万円を超える金額
20 万円を超える金額	55%	8,000 万円を超える金額
30 万円を超える金額	60%	1 億 2,000 万円を超える金額
50 万円を超える金額	65%	2 億円を超える金額
100 万円を超える金額	70%	4 億円を超える金額
150 万円を超える金額	75%	6 億円を超える金額
300 万円を超える金額	80%	12 億円を超える金額
500 万円を超える金額	85%	20 億円を超える金額
1500 万円を超える金額	90%	60 億円を超える金額

て〟という、徳政令のような形でも大きなダメージを受けたのである。

さらにもう一つ、自宅に隠し持っていた金(きん)や銀、美術品、骨董品などが、進駐軍によって収奪されたという話もある。

以上が、戦後の日本に起きたことである。このアドバイスの最後に重要な教訓をお伝えしておこう。それは〝国は発狂すると何でも行なう暴力装置になる〟ということと〝国は取りやすいところから取る〟ということだ。

ダイヤモンドの活用は財産を守る究極の方法

この章では、日本を襲う巨大津波の後、日本において財政上では何が起こるのかを紙幅(しふく)を割(さ)いて解説して来た。ただ、これによって導きだされる財産防衛の方法はいたってシンプルである。

浅井先生にアドバイスで解説いただいた国家破産の最悪な時期を除けば、日本でまず対応しておくべきは「ハイパーインフレ」(超円安)対策である。これ

には、基軸通貨である外貨〝米ドル〟を持つ他、インフレに強いとされる金や
ダイヤモンドの現物を持つのがよい。特にドルは、二〇二二年から始まった利上げによって、預金にしておくだけで一年間に四―五％もの金利が付くようになっている。手堅い運用の「ドルＭＭＦ」でも、同じくらいの利回りが得られる。もちろん、円安になればその分きちんと価格が上昇してくれるので心強い。
このハイパーインフレ対策は、個人でも法人でも同じである。

ドルと金とダイヤモンドを保有する比率は、人それぞれ状況によって異なるだろうがあくまで理想的な目安としては、ドル（ドルといっても、ドル現金、ドル預金、ドル建てファンド、金、ダイヤモンドと幅広い）は全資産の中で少なくとも半分以上保有したい。そして、金は全資産の一〇％、ダイヤモンドも同じく一〇％である。法人の場合には、運転資金を除いた上でこの比率を目安に取り組むことをお薦めしたい。

「財産防衛にダイヤモンド?・」と、突然出て来た言葉に驚いた方がいるかもしれない。日本において〝資産分散にダイヤモンド〟と明言している経済の専門

家は、私の知る限りでは浅井先生くらいだ。ただ、だからこそダイヤモンドは特に非常時に優位性の高い資産であり、世界を見渡すとこれが究極の資産防衛法であり、命綱(いのちづな)であるととらえている人たちもいる。

その人たちとは、あのユダヤ人である。ユダヤ人に対しては、ドイツのホロコーストによる迫害や差別があまりに有名ではあるが、それ以外にも歴史上、長く迫害を受けて来た民族である。だから、命からがら逃げるために容易に持ち出せる資産を好み、その中でもダイヤモンドを特に重宝して来たのだ。

ダイヤモンドは、何よりも軽くてかさばらず高価であるから、全財産を交換してポケットに入れて持ち運ぶこともできる。実際にドイツのホロコーストから逃れたユダヤ人の超富裕層は、ダイヤモンドをスーツケースに入れて他国へ亡命したという。

また、日本でも一人、戦後の大混乱から逃げるために大量のダイヤモンドを持って日本からフランスに移り住んだ画家もいる。レオナール・ツグハル・フジタ(藤田嗣治)である。戦後、世界的に有名であったフジタは、進駐軍相手に絵画を売り、それで手に入れた日本円の新札でダイヤを購入、そのダイヤを絵の具のチューブに隠し入れて、フランスへ持ち出したという。

一般的な日本人からすると、ダイヤモンドは本物か偽物（にせもの）かの見分けが難しく、さらに売る時は相場が不明瞭で換金（かんきん）しづらいため、資産として成り立たないものという認識をお持ちだろう。しかし、実際にはまったく異なる。ダイヤモンドの取引所は世界中にあり、ベルギーのアントワープやアメリカのニューヨーク、イスラエルのテルアビブ、イギリスのロンドンなどが有名である。他にもフランス、イタリア、オランダ、南アフリカ、ドイツ、香港など市場は世界中に散らばり、そこでは日々、ダイヤモンドが取引されている。だから、きちんとしたダイヤモンドであれば換金に困ることはない。

その〝きちんとした〟を証明するものは、「ＧＩＡ」（米国宝石学会）の鑑定書だ。ダイヤモンドの鑑定組織はいくつかあるが、国際的に断トツの信頼を得ているのはＧＩＡである。そのＧＩＡが確立した、「４Ｃ」と呼ばれるダイヤモンドのグレーディング方法でダイヤモンドは細かく品質分けされており、それによって値段がある程度明確になっている。またＧＩＡは、ダイヤモンドの側面にシリアルナンバーを刻んでおり、そのナンバーと合致した鑑定書で本物であることが担保されている。だから、きちんとしたダイヤモンドであれば意外とはっきりとした相場があり、容易に換金することができるのである。

さて、ハイパーインフレからさらに状況が悪化した、「国家破産の最悪時」における資産防衛に話を移そう。

まず「法人」の場合には、保有しているものはすべて決算書で明らかになっているため、隠しごとは通用しない。だから保有する資産とその比率はハイパーインフレ対策時と変える必要はなく、ドル（正確には金、ダイヤも含むドル建て資産）を半分以上（その場合、金一〇％、ダイヤモンド一〇％）と同じ比率で構わない。ただ、持ち方は工夫する必要がある。国家破産時には金融危機にもなっているはずだから、日本の銀行や証券会社にあまり頼らずある程度現物に交換しておいた方がよい。ドルはＭＭＦではなく、「ドル現金」を持つということだ。ただ、混乱時にドルが流通し出すには時間がかかるため、すぐに

ダイヤモンドは意外と換金しやすく持ち運びも楽なため、資産分散の方法の一つとして取り入れることをお薦めしたい。

使うことができるよう円の現金も持っておいた方がよい。また、日本の規制がおよばない海外に「口座」や「ファンド」という形で資産を保有しておくことも有効な手段である。

次は、国家破産の最悪時における資産防衛の「個人」編である。考え方は法人における対応と同じだが、個人は法人よりもプライバシーがあり、保有している資産の情報を開けっぴろげにしていない。だから戦後もそうだったが、持っている資産をお互いに持ち寄ってやり取りする、物々交換のヤミ市場ができるのである。そして、特にダイヤモンドはその取引対象の中でも有利な資産となるだろう。ＧＩＡの鑑定書があればそれが本物の証明となり、引く手あまたである。ダイヤモンドは、金とは異なりどれだけ大きな資産であっても海外に簡単に持ち出すことができ、海外の市場で売却することもできる。つまり、国家破産時でも換金までの出口がしっかりしている垂涎のアイテムなのである。

では、同じく金も物々交換の対象になるのかと言えば、残念ながらそうはならない。実際、ロシアの国家破産時には金の偽物が出回り、金はまったく売れずに役に立たなかったそうである。また金(きん)は購入する時、貴金属業者を通じてしっかり身元確認を行なった上で購入することからある程度保有が明らかになっており、そのためひょっとすると国家による没収の対象になり得る。その点、ダイヤモンドは先ほど述べたように一般的な日本人の感覚からすれば資産として成り立たないものであり、その認識は日本国も同じであろう。だから、わざわざ手間とコストをかけて没収してやろうとはならない可能性が高い。

国家破産の最悪時、没収を免れた円以外の資産である「ドル現金」や「ダイヤモンド」は、ハイパーインフレでその価値を何倍にも高め、円ベースでは元手の一〇―三〇倍にはなっているだろう。歴史を振り返るとこれまで数多くの国が破産しているが、その時に資産をあまり減らすことなく上手く乗り切ったごく一部の人は、大多数の大きく資産を減らした人から残っている資産を二束三文で買い取り、それを混乱が落ち着いて大きく反発した時に高値で売却することで超富裕層にまで上り詰めている（私はこうしたことをあざとくやれと薦めているわけではない。過去の事実を教訓として頭に入れて、他人に迷惑のかからないように資産保全していただきたい）。ロシアでは、そのやり方で他国にお城を購入できるまでの超富裕層になった人が、実際に何人も現れたのである。

このように上手くできる人は全体のせいぜい二―五％であるが、あなたもドルと金（きん）、ダイヤモンドに分散して見事国難に打ち勝ち、超富裕層の仲間入りをしてほしい。ただし、その時は困った人々のためにあなたの資産の一割から二割は使ってほしい。そうした人々のみが、真に生き残れることだろう。

浅井隆からの重大情報

「賢者のノウハウ＝オプション」

第一弾でも巻末で詳しく述べたが、二〇二五年七月に本書で述べたような大災害がやって来た場合、それを逆手に取って資産を大きく殖やす方法が一つだけある。これは、大変重要かつ貴重なノウハウなので、第二弾においても詳しく述べさせていただく。

二〇二五年七月の〝大ピンチを大チャンスに変えるとんでもない方法〟が一つだけあるのだ。もしも、本当に大災害がやって来て経済が大きな影響を受ければ、株（日経平均）は大暴落し、その後反発（三分の一戻しくらい）する。それをうまくとらえれば、投入資金を一万倍くらいにすることが可能な特殊な方法が存在する。一〇〇万円が、わずか一、二ヵ月で一〇〇億になる計算だ。

そんな信じがたい方法が、この世の中に本当にあるのか。それこそ「日経平均に連動したオプション」だ。私（浅井隆）は、そのオプションを三〇年近く研究し、数年前に「オプション研究会」を立ち上げた。それについては本書でも詳しく巻末の二七七ページに掲載させていただいたので、ぜひ読んでいただきたい。これこそが、あなたが勝ち残り億万長者となれる唯一の方法だ。

そして、もしあなたがそうした大金を手に入れることができたとしたら、少なくともその一〇分の一は世のため人のために使っていただきたい。特に、日本を改革するため、世の中を変えるための軍資金として使っていただきたいと思う。そうした志を持った人間のみが、そうした資金を持つ資格があると言ってよいだろう。

浅井隆のアドバイス〈その2〉

財産は三つの場所に分散が基本

ハイパーインフレまた国家破産対策として有効な資産であるドル、金、ダイヤモンドを保有する時、一つの場所に集中するのではなく、少なくとも三つの場所に分散して保管することをお薦めする。

たとえば、貴重品の保管場所として真っ先に挙げられるのは銀行の貸金庫であるが、こちらは銀行の中にある以上、国家破産によって国がもし強権を発動した時には、貸金庫の中身が無事にすむとは限らない。通常であれば、貸金庫の開閉は借り手である本人の同意が必須で、銀行と言えども勝手に開けることは考えられない。しかし、〝国家破産という非常事態〟では、平時では考えられないようなことが起きるもので、実際にロシアが国家破産した際には国によって強制的に貸金庫が開けられ、中身が没収されたという話が残っている。もちろんロシアと日本とでは政治の体制が異なるが、日本にＩＭＦが乗り込んで来るようなことになれば、これまでの日本の体制とはまったく様変わりすることもあり得るので注意が必要である。

では、自宅に置いておけば安心かと言えば、海沿いであれば津波の被害に遭うリスクがあり、そうでなくても常に盗難のリスクにさらされている。自宅でドルや金、ダイヤモンドを置く場所として、一般的な金庫（防火金庫）に入れておくのは泥棒に「ここに貴重品がありますよ」と宣伝しているようなもので、手慣れた窃盗集団であれば、五〇〇キログラム以内の金庫は台車を使って楽に持って行くのであまり役に立たない。泥棒が簡単に持ち運べないのは、重さ七〇〇キログラム以上の防盗金庫で、それに土台の四隅をボルトで床に固定すればいくら窃盗集団であってもお手上げである。

ただ、このような鉄壁な防盗金庫があっても、家に人がいる時に押し入られれば脅迫されて鍵を渡さざるを得ないかもしれない。また、家の中では冷蔵庫に貴重品を入れておいてもダメだ。冷蔵庫は、実はタンスと同じで貴重品を隠す定番の場所で泥棒にはすぐ見つかるのである。ちなみに、ダイヤモンドを冷凍庫に入れておいて〝黒ずんだ〟という報告があるので、そのような場所に隠すのは絶対にやめよう。意外と見つかりにくい場所としては庭に穴を掘って埋めておくことだが、自分もどこに埋めたのかを忘れてしまうと悲劇（喜劇？）である。銀行の貸金庫や自宅の金庫（その他）など、いくら安心に見える場所でも絶対ということはなく、一つに集中して保管することはやめた方がよい。ドル、金、ダイヤモンドを持つ上で「最低でも三つ以上の場所に分散」しておくことを強くお薦めしたい。

このコラムの最後に生き残りのためのお薦めグッズを紹介しておこう。それは「旅行用のショルダーバッグ」である。私は旅行などで「ＴＵＭＩ」のショルダーバッグを使っているが、丈夫で持ち運びが便利で重宝している。ここに、

浅井 隆愛用のショルダー。この中に貴重品を入れて管理している。

いざという時に持ち出すべきものをすべて入れておくのである。いざという時の円現金の他、ドル現金、そしてダイヤモンド、金(きん)は重いので避けるが、他にも携帯電話や手帳、車や家のスペアキーなど、自分にとって大事なものを入れておく。そして非常時には、これを一つもって飛び出せばよい状態に常にしておくのである。さらに海岸沿いにお住まいの方は、いざ津波となれば身一つで逃げる必要があるため、普段からこのバッグを持ち歩こう。普段からこのバッグにそれなりのダイヤモンドを入れて持ち歩けば、ユダヤ人直伝の究極の資産防衛を実践していることになるのである。

エピローグ

天は自ら行動しない者に救いの手を差し伸べない（ウィリアム・シェイクスピア）

「心の豊かさ」と「知恵の深さ」を求めるために

予知能力や透視能力というと、〝オカルト〟と決め付ける人が多い。しかし、ごく少数の人々にそうした能力があることはまぎれもない事実だ。旧ソ連がアメリカとの冷戦を勝ち抜くためにそうした人々を集めて研究し、実際にその能力を使ってスパイ戦などをしていた、というのはいまや広く知られている。またFBIがそうした超能力者に協力を求めているというのもすでに有名な話だ。

いずれにしてもたつき諒先生の予言、そしてSHOGEN氏のアフリカで聞いてきた話、さらにはアメリカ先住民の言い伝えなどを総合すると、二〇二五年の七の月、あるいは二〇二五年のどこかで〝人類の歴史がひっくり返る〟くらいの何かが起き、私たちの運命はそれに翻弄される可能性が高い、ということがわかる。

たつき先生は『私が見た未来・完全版』（飛鳥新社刊）の中で「準備ができて

いれば被害は少なくてすむとはいえ、それなりの被害は避けられません。でも、そのとき仮に地球の人口が激減したとしても、残った人たちの心は決して暗くならないでしょう」と述べている。この中で注目すべきは、地球の人口が激減するかもしれないというくらいの災害が起きるという点だ。

さらに、SHOGEN氏の証言に目を向けると、「日本は縄文時代に戻るかもしれない」ということが暗示されている。やはり、私たちが想像する以上のことがやってくるかもしれないのだ。

予知、予言というものを、私たちが過度に信用するのもよくないことだろう。しかし、まったく無視してしまうのもナンセンスな話だ。「ひょっとしたら、起きるかもしれない」と心の準備をして、さらに必需品の備蓄もしておくとよいだろう。縄文時代の人々の暮らし振りを調べておくのもよいかもしれない。

二〇二五年七の月まで、後一年ちょっとになってしまった。運命の日は刻一刻と近付いている。

＊　＊　＊

私がこの短期間に上梓した『２０２５年７の月に起きること』『２０２５年７の月に起きること **２**』（第二海援隊刊）という二冊の書籍において不思議な話を展開して来たが、どちらにしても私たちがすべきことは、「どんなことがあっても人間として、生物として生き残ること」だ。

私は、物心付いた頃からいつも「人間力」ということを考えてきた。人間が生物として持っている総合的な生きる力のことだ。今の日本人は、それが非常に衰えていると実感するこの頃だ。私たちがリスクを回避し生き残るためには、まず何かが差し迫っていたらその気配に気付き、それがどの程度のダメージをあなたにおよぼすかを注意深く探ることだ。

そして、「備えあれば憂いなし」のことわざ通り、準備を滞(とどこお)りなくしておくことだ。私たち人類の長い営みの中には、〝とんでもない天災〟が何度も襲って来たという恐ろしい現実がある。特に、「プレートによる地殻変動」「地震」「津波」「台風」といった脅威にさらされ続けて来た日本人には、ＤＮＡに染み込んだ特殊な気質がある。それを呼び覚まして、生き残りのための知恵としよう。

さらに人間にとって一番重要なことは、「心の豊かさ」と「知恵の深さ」というものだ。特に、心の豊かさほど大切なものはない。人類の活動の影響が地球の限界に近づく中で、物質的豊かさではなく心の豊かさを求めて行くしか、人類の生き残りの道はないように思われる。「二〇二五年七月問題」を通して、私はそうした結論に到達した次第である。

二〇二四年四月吉日

神薙　慧

■今後、『ドルの正しい持ち方』『2025年・国債バブル崩壊・超円安・株大暴落』（すべて仮題〈これらはすべて浅井隆著〉）を順次出版予定です。ご期待下さい。

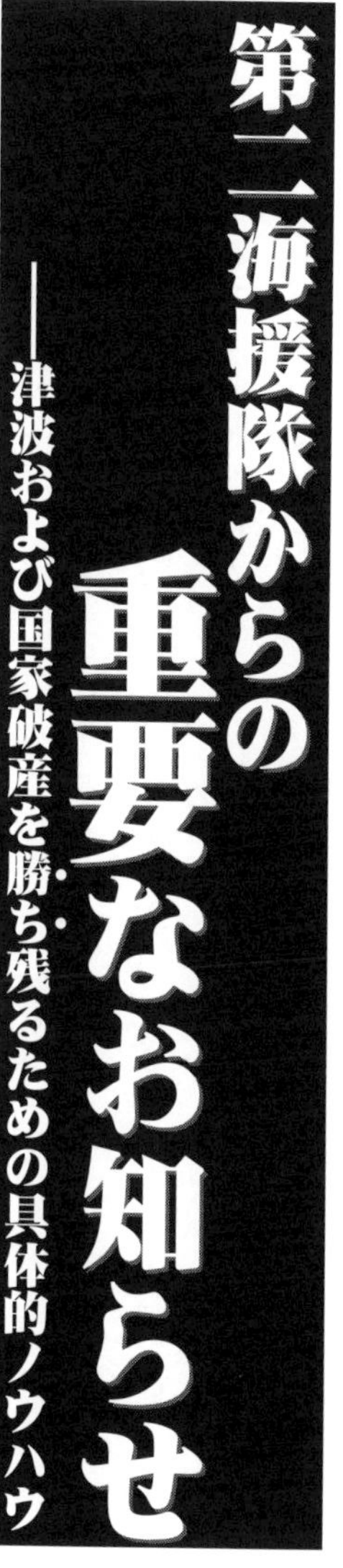

第二海援隊からの重要なお知らせ

——津波および国家破産を勝ち残るための具体的ノウハウ

◆オプションの説明会緊急開催！　ぜひご来場下さい

「オプション取引について詳しく知りたい」「『オプション研究会』について理解を深めたい」という方のために、このたび「オプション説明会」を開催することとしました。会場の都合上、定員八〇名とさせていただきました。浅井隆が信頼する相場のチャート分析を行なう川上明先生にもご登壇いただく予定ですので、混み合うことが予想されます。必ずご予約の上、ぜひお早めにお申し込み下さい。

開催日時：二〇二四年五月二四日（金）一三時—一六時

会場：㈱第二海援隊セミナールーム
受講料：三〇〇〇円（実費、資料代込み）
定員：八〇名

※「オプション説明会」に参加できない方も、オプションに重大な関心を寄せている方のために、当日のセミナーを動画配信いたします。またCDやDVDも作成予定です（料金は動画配信含めすべて三〇〇〇円）。ぜひこちらも合わせてお申し込み下さい。

■「オプション研究会」および「オプション説明会」に関するお問い合わせは「第二海援隊　オプション研究会　担当」まで。

TEL：〇三（三二九一）七二九一　FAX：〇三（三二九一）七二九二
Eメール：info@nihoninvest.co.jp

※「オプション説明会」にお申し込みの際には、氏名、電話番号、住所、Eメールアドレス（動画配信希望の方のみ必須）、セミナーの受講形態（参加、動画配信、CD、DVD）をお知らせ下さい。

「オプション研究会」のご案内（この文章はオプションに詳しい浅井隆が執筆）

これから、本文の最後で触れた「オプションとは何か」についてかなり詳しくご説明するので、少し長くなるが必ず全文を読み通して、大チャンスをあなたの手でつかみ取ってほしい。

＊　＊　＊

私（浅井隆）がオプション取引について知ったのは、今から三〇年近く前、日本の株バブルが弾けた直後であった。確か、九〇年の四月か五月頃だったと記憶しているが、私は株の暴落を事前に予測していた人物がいることを知った。それが「浦宏（うらひろし）」という相場師であった。彼は当時、『週刊文春』に連載記事を書いていた。そして『週刊文春』の九〇年正月号で、「九〇年早々から日本の株はとんでもないことになる。それは普通の暴落ではなく、今までとまったく違うトレンドが始まる」と、暴落のことをはっきり書いていたのだ。正月号ということは、年末ギリギリに締め切りがあり、原稿はそれより前、遅くてもクリスマス頃には書き上げていなければならないはずだ。株は、まだまだ上がっていた時だ。一二月二九日の大納会で日経平均が史上最高値を付けたわけだが、恐るべきことに彼はその直前に、翌年の大暴落を予見していたのだ。私はその記事を読み、「すごい人だなあ」と感心し、ぜひ直接会って話を聞きたいと思った。

　早速、私は浦宏の自宅を訪ねた。実際に会ってみると、彼はかなりの変わり者であった。宮崎県の出身で、当時すでに七〇歳くらいだったと思う。大柄で目がギョロッとしていて、映画『スターウォーズ』に登場する『ジャバ・ザ・ハット』を思わせるその風貌は、とても迫力があった。

　彼は無類の酒好きで、しかも高い酒が好きだった。ある時私に、「俺の予測を聞きたいなら『ルイ一三世』を持ってこい」と言った。「ルイ一三世」は、コニャックという良質のブランデーで、当時デパートで買うと一本一八万円くらいはした。私は安月給の中からコツコツ貯めた貯金を取り崩し、「ルイ一三世」を買って彼の家に持って行った。「先生、『ルイ一三世』を買ってきました。これで間違いないですよね？」と聞くと、「おう、これだよ」と言って、バカスカ飲み始めた。私にも一口くらい飲ませてくれるかと思ったら、その気配すらない。私は涙が出そうだった。でも、何も言えない。「先生、美味しいですか?」と聞くと、「うまいなあ。これはいいわ」と言って、あっという間に半分くらい飲んでしまった。本当にケチで変わり者だったが、それこそ「最後の相場師」みたいな人で、実に勉強になった。今はもう、あんな人はいないだろう。

私は当時、毎日新聞のカメラマンだったが、本業の傍ら経済や金融に関する取材を独自に行なっていた。東京市場の暴落に関わっていたソロモン・ブラザーズについても取材した。そして一九九二年、私は徳間書店から『日本発、世界大恐慌!』という本を出版した。この本は、私が初めて書いた経済トレンド本であった。

それを読んだ読者の中に、当時、TBSの現役プロデューサーであったJ氏がいた。J氏はテレビ業界では有名な人で、TBSを代表するプロデューサーだった人物だ。高度成長期には、多くの有名な歌番組をプロデュースした。その後、『関口宏のサンデーモーニング』などの報道番組も手がけた。

実はJ氏は、バブル期に株式投資で痛い目に遭っている。ある政治評論家がJ氏に「近々、XX株が上がる。買っておくといいぞ」と囁いた。その気になったJ氏は、その株に投資した。しかも、あろうことか現物ではなく信用取引で買ってしまった。結果は、大暴落。彼は、数千万円もの借金を抱えるはめになった。損失をなんとか取り戻そうと考える中、たまたま私の書いた本を読み、私に電話をかけてきたのだ。

J氏は私に会うなり、『サンデーモーニング』の経済関係の取材を手伝ってほしいという。私は協力することにした。私はTBSが用意したハイヤーを使い、J氏と一緒に様々な取材をした。毎日新聞の一カメラマンに過ぎなかった私は、よく赤坂の高級すし屋などでご馳走になり、「さすが、TBSの大物プロデューサーは違うな」と思ったものだ。

一九九〇年二月から大暴落し始めた日経平均（株価）は、ついに九二年八月に最高値の約三分の一にまで到達した。しかも、九二年四月から八月にかけてはなだれのような急激な暴落が頻発し、日本中が騒然となった。新聞には連日のように「日経平均連日の安値更新、底値のめど立たず」という見出しが躍（おど）り、市場には絶望と悲鳴があふれ、多くの投資家が自分の資産が失われて行くことをただ呆然とながめていた。

「日本そのものが沈没する」とまで囁かれる中で、心配になった私は取材を開始した。そこで、かねてから面識のあった浦宏氏の自宅に押しかけた。確か、八月に入ってすぐの頃だったと記憶している。

　私はJ氏に、「株、まずいですよね。このまま下落が止まらないと日経平均は一万円を割るでしょう。銀行も潰れ、日本経済は完全に麻痺するかもしれません」と言った。そして、浦氏がどう考えているのか聞いてみようとしたのだ。私は浦氏に単刀直入に尋ねた。「先生、株が連日下がっていて、えらいことですね。日経平均はこのまま一万円を割るのでしょうか?」。しかし、彼は自分の頬を撫でながら、「う〜ん」と唸るばかりで、なかなか答えようとしない。そこをJ氏がうまく聞き出した。「いやぁ、浦先生でもやはりわかりませんか」と言うと、私たち二人の方にぎょろりと目をやり、「そんなに知りたいのなら、教えてやろうか」と言った。「お前たちは信じないかもしれないが、日本株はもう間もなく大反発するぞ‼」。

私とＪ氏は思わず、のけぞった。お互い顔を見合わせ、「このじいさん、ついに狂ったか？」と思った。浦氏の自宅を後にしたものの、私は彼の予測が信じられなかった。ただ、それでもやはり気になる。「少し時間ありますか？」帰りのハイヤーの車中で私はＪ氏に声をかけ、自由が丘の喫茶店で一時間くらい話し合った。ただただ、信じられなかった。しかし、あの浦宏が断言したということは何かあるのではないか？　何か確たる根拠があるのではないか？　私たちはそういう結論に達した。

数日後、私たちは再び浦氏を訪ねた。やはり彼の予測は変わらなかった。「これ以上聞きたかったら、ルイ一三世を二本持って来い」などと冗談を言いつつ、彼は再び同じことを言ったのだ。

その後、日経平均は八月一八日に一万四三〇九円まで下落した。しかし、その安値が大底であった。そこから日本株は急反発したのだ。当時、日本の投資家の多くは「相場はまだ下がる」と見て売っていた。ところが相場が急反発したため、信用取引をはじめ売り方は「買い戻し」を迫られる。買い戻さないと損失がますます拡大してしまうからだ。こうして、売り方の買い戻しが連鎖的に起こる「踏み上げ相場」となり、相場は大反発した。なんと、日経平均はわずか三週間で五〇〇〇円弱も上昇し、ザラ場（取引時間中）で一万九〇〇〇円台を付けた。本当に、浦氏の言う通りになったのだ。

実際、彼の予測には根拠があった。当時、竹下登元首相と野村證券の会長を務めた田淵節也が極秘の会談を行ない、郵貯と簡保の公的資金を使い株価を支えようということになった。こうして、「ＰＫＯ」（プライス・キーピング・オペレーション：株価維持政策）と呼ばれる株式市場への介入が行なわれた。

私も浦氏の相場予測に乗り、思い切って株を買ってみた。三銘柄にわけて合計三〇〇〇万円ほど投資した。浦宏の予測通り株式相場は上昇し、私は利益を上げた。約三割、九〇〇万円ほどの利益が出た。そこから税金が引かれるから、実際の儲けは七〇〇万円程度だ。さほど大きな利益ではないが、それでも投資額三〇〇万円に対して三割弱儲かったわけだから悪くはない。私は「儲かってよかった」と満足した。

しかし、しばらくして私はとても悔しい思いをすることになる。少し前、『ざんねんないきもの事典』という本が話題になったが、私は「ざんねんないきもの」ならぬ「残念な投資家」であった。決して、損したわけではない。多少なりとも儲かったのに、なぜ「残念な投資家」なのか?

■X氏と「オプション」との出会い

ささやかながら株で儲けて満足していた頃、私はもう一人の相場師X氏と出会う。X氏は浦宏に匹敵する、いや、ひょっとすると浦宏を超えるほどの天才的な相場師だったが、絶対に表舞台には出て来なかった。名前も非公表である。

若い頃には、株で二〇億円ほど稼いだと言っていた。ところが、それをあっという間に吹き飛ばしてしまったというのだ。お客さんから預かったお金を運用していたのだが、読みを外しわずか数週間で大きなマイナスを出してしまったそうだ。彼もまた、「外資系にやられた」と言っていた。彼は多額の借金を背負い、死ぬほどの思いをして返済したという。そのような厳しい経験をしながら、売買技術や相場に対する感性を磨いて来たのだろう。

自宅はお世辞にも立派とは言えなかったが、彼の蔵書はとても印象的であった。株をやっている人であれば、株や投資の本があるのが普通だが、そんなものは一切ない。チャートの本さえもないのである。代わりに本棚に並んでいるのは、聖書や論語といった類のものだ。そういった、世界の古典がずらりと並んでいた。彼はよく「こういったものをすべて理解しない限り、相場に強くなれない。人間というのは、根本に哲学がないと相場なんかできないのだ!!」と言っていた。彼は、私に哲学の重要性を教えてくれた。

彼からは、技術的にも多くのことを教わった。それらの多くは、今でも参考になる。その一つに、現物株に関するものがあった。彼は現物株取引を行なう場合、「小型株はやめておけ。大型株のみやれ」と言っていた。小型株は出来高が少ないため、見通しを外すと逃げられなくなる可能性があるためだ。売りたい時に売れず、買いたい時に買えないということが起こる。つまり、「損切り」

ができないのだ。これは、時に致命傷になる。特に、「品薄株」は極端に出来高が少ないので、自分が売ったらそのことで売り気配になってしまうことさえある。だから、十分な出来高があり、いつでも売り買いできる大型株に限定するべきだというのだ。

彼の相場予測は卓越していた。相場の天井と底を驚くほどピタリと当て、ほとんど間違うことはなかった。しかし、ノウハウは絶対に教えてくれない。「なぜ、相場の転換がピタリとわかるんですか？」と聞くと、「カンでわかるんだ」などとはぐらかす。

X氏もまた酒飲みであった。酔っぱらうと怒鳴り散らし、手が付けられない。はっきり言って、酒乱に近い。家を訪ねると、奥さんが苦労している様子が伺えた。彼が酔っぱらうと、私が「帰る」などと言おうものなら、酒杯がパカーンと飛んで来る。一升瓶が飛んで来たこともある。私は、本当に叩き殺されるのではないかという恐怖さえ覚えた。昭和というよりも、明治か大正時代の荒くれ男という感じの人だった。

X氏と会ったのは、九二年の九月末頃、浦氏の相場予測のお陰もあって、現物株でそこそこの利益を上げた頃だった。その時の彼との会話はあまりにも衝撃的で、今でも忘れられない。

X氏「お前、あの相場を当てたのか？」

浅井「ある人から情報を得て、現物で多少儲けました」

X氏「いくら儲けたんだ？」

浅井「三〇〇万円入れて、利益は九〇万、税金引いて七〇万くらいです」

それを聞いたX氏はいきなり「ワッハッハ」と笑い出し、こう続けた。

X氏「お前は現物や先物は知っていても、オプションというものを知らないだろう？」

浅井「オプション？　それは何ですか？　何かの『選択肢』のことですか？」

X氏は「じゃあ、教えてやろう。お前、きっと腰を抜かすぞ」と言って、オプション取引について簡単に教えてくれた。話を聞いた私は、オプション取引の破壊力に本当に腰を抜かすほどの衝撃を受けた。

X氏「あの大底でコールオプションの九月物を一〇〇万円買った奴がいる。大儲けだ。いくらになったと思う?」

浅井「五〇〇万円くらいですか?」

X氏「ばか! 四億だよ、四億。本当に四億円になったんだよ」

私は耳を疑い、X氏に聞き返した。

浅井「それ、何かの間違いですよね? 四〇〇万か、せいぜい四〇〇〇万ですよね?」

X氏「いや、間違いなく四億だ。五円で買ったコールが二〇〇〇円になったんだ。つまり四〇〇倍だ。たった一〇〇万円の元手を三週間で四億にした男がいるんだ。お前もバカだなあ。お前がオプションを知っていればなあ。現物株ではなくオプションをやっていれば、お前の財産は四〇〇倍になっていたよ」

実は、オプションこそ〝宝の山〟なのだ。

では、再び三〇年前の九二年夏に戻ってみよう。あの時、連日大暴落を繰り返していた日経平均は、八月一八日を境にウソのように大反転を起こし、一万四三〇〇円まで下がっていたものが三週間で五〇〇〇円も戻し、九月初旬には一万九〇〇〇円にまで到達した。その三週間の間に、オプションのコール（上がれば儲かる商品）のある限月（げんげつ）のある価格帯の値段は、確かに五円から二〇〇〇円にまで値上がりした。実に、四〇〇倍になったのだ。つまり一〇〇万円投資していれば、四億円になったのだ。

しかも、当時は市場の決まりで五円が最低単位でその下はゼロだったが、今は一円まで最低単位が下がった。もし今、九二年と同じ相場の大反転が起きれば一円が二〇〇〇円になるわけで、二〇〇〇倍になるのだ。ということは、一〇〇万円投資したら二〇億円になるというわけだ。

では、オプションとは何か。これを説明し始めたら本一冊分になってしまうが、ここでは簡単に三分でわかるように解説しよう。

日経平均株価に連動したデリバティブ（金融派生商品）に先物とオプションがあり、大阪取引所に上場されている。つまり、何かいかがわしいものではなく、正式に市場に上場された公式のものである。しかも日経平均が暴騰したり暴落した場合、価値がすさまじく変動するスーパー兵器なのだ。

そして、これには株が上がったら儲かる「コール」と下がったら儲かる「プット」の二種ある。この二つをうまく使って二〇二五年の大変動を人生最大のチャンスにしようというのが「オプション研究会」の目的である。ぜひ、お問い合わせをお待ちしている。

では、そのオプションを使って、二〇二五年七月の危機をどうチャンスに変えるのか、その具体的な中身をお伝えしよう。まず、ターゲットは二〇二五年七月だから、その前にタイミングを見計らって下がれば儲かる方のプットを仕込む。もし本当に七月に大津波がやって来れば、日経平均は連日ストップ安となるだろうから、その値段は一〇〇〇倍以上になるだろう。もしあなたが一〇〇〇万円分買っていれば、一〇〇〇万円×一〇〇〇＝一〇億円ということになる。

その後しばらくして、大暴落の後に日経平均は三分の一戻しくらいをするだろうから、今度は逆に上がれば儲かる方のコールを一〇億円の半分の五億円買うとする。今度は購入額が大きいからプットほどの倍率は期待できないが一〇倍にはなるだろうから、五億円×一〇＝五〇億円となる。そうすると、合計で五億円＋五〇億円＝五五億円となる。ただし、税金で二〇％持って行かれるから、手取りは五五億円×八〇％＝四四億円となる。もし一〇億円を全額つっこめば一〇億×一〇倍で一〇〇億となる。税引き後の手取りは八〇億円となる。

もし、七月に何も起きなかったら、どうなるのか。一〇〇万円がゼロになるだけである。損失はそこで限定される。マイナスになることはないのだ。ならば、やる価値があるだろう。

しかし、文章でこのように書くと簡単に思われるかもしれないが、実際に実行するとなると、相当大変だ。かなりの準備と知識が必要だ。そこで、オプションについて二〇年以上の経験と知識を持つ私が、三年ほど前に「オプション研究会」を立ち上げたわけだ。危機をチャンスに変えたいという有志は、ぜひご参加いただきたい。

ところで、本文でも申し上げたが、もし幸運にもオプションで莫大な資金が手に入ったら、ぜひその一割を日本の復興のため、日本の大改革のためために使っていただきたい。そうした志を持った人の頭上にのみ、幸運の女神は現れるに違いない。

■「オプション研究会」お問い合わせ先
㈱日本インベストメント・リサーチ オプション研究会」担当 山内・稲垣・関
TEL：〇三（三二九一）七二九一　FAX：〇三（三二九一）七二九二
Eメール：info@nihoninvest.co.jp

厳しい時代を賢く生き残るために必要な情報を収集するために

◆〝恐慌および国家破産対策〟の入口「経済トレンドレポート」

電子版も好評配信中！

皆様に特にお勧めしたいのが、浅井隆が取材した特殊な情報をいち早くお届けする「経済トレンドレポート」です。今まで、数多くの経済予測を的中させてきました。そうした特別な経済情報を年三三回（一〇日に一回）発行のレポートでお届けします。初心者や経済情報に慣れていない方にも読みやすい内容で、新聞やインターネットに先立つ情報や、大手マスコミとは異なる切り口からまとめた情報を掲載しています。

さらにその中で、恐慌、国家破産に関する『特別緊急警告』『恐慌警報』『国家破産警報』も流しております。「激動の二一世紀を生き残るために対策をしなければならないことは理解したが、何から手を付ければよいかわからない」「経済情報をタイムリーに得たいが、難しい内容には付いて行けない」という方は、

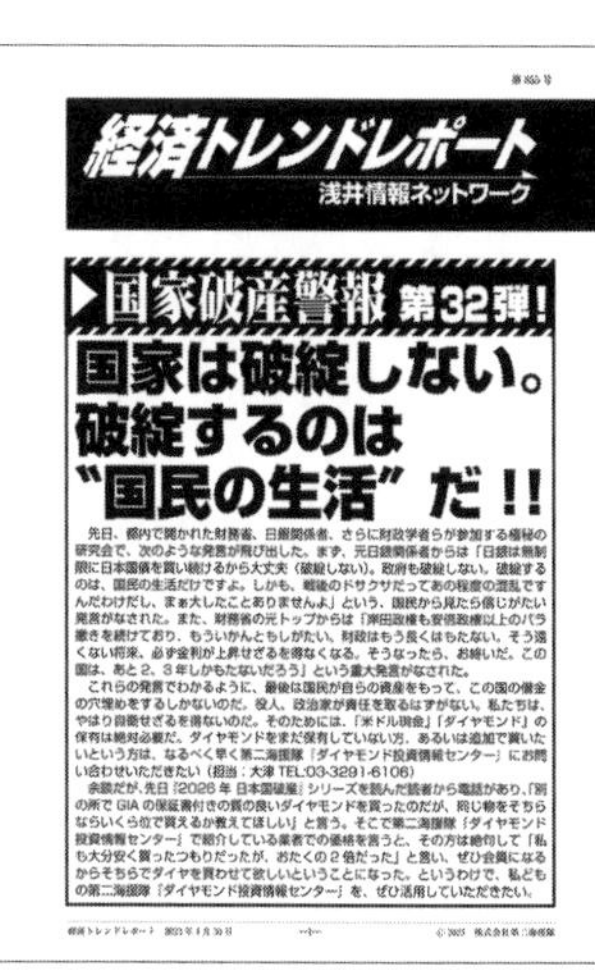

経済トレンドレポート
浅井情報ネットワーク

▶国家破産警報 第32弾！

国家は破綻しない。破綻するのは“国民の生活”だ！！

先日、都内で開かれた財務省、日銀関係者、さらに財政学者らが参加する極秘の研究会で、次のような発言が飛び出した。まず、元日銀関係者からは「日銀は無制限に日本国債を買い続けるから大丈夫（破綻しない）。政府も破綻しない。破綻するのは、国民の生活だけですよ。しかも、戦後のドサクサだってあの程度の混乱ですんだわけだし、まぁ大したことありませんよ」という、国民から見たら信じがたい発言がなされた。また、財務省の元トップからは「岸田政権も安倍政権以上のバラ撒きを続けており、もういかんともしがたい。財政はもう長くはもたない。そう遠くない将来、必ず金利が上昇せざるを得なくなる。そうなったら、お終いだ。この国は、あと2、3年しかもたないだろう」という重大発言がなされた。

これらの発言でわかるように、最後は国民が自らの資産をもって、この国の借金の穴埋めをするしかないのだ。役人、政治家が責任を取るはずがない。私たちは、やはり自衛せざるを得ないのだ。そのためには、「米ドル現金」「ダイヤモンド」の保有は絶対必要だ。ダイヤモンドをまだ保有していない方、あるいは追加で買いたいという方は、なるべく早く第二海援隊「ダイヤモンド投資情報センター」にお問い合わせいただきたい（担当：大津 TEL:03-3291-6106）

余談だが、先日『2026年 日本国破産』シリーズを読んだ読者から電話があり、「別の所でGIAの保証書付きの質の良いダイヤモンドを買ったのだが、同じ物をそちらならいくら位で買えるか教えてほしい」と言う。そこで第二海援隊「ダイヤモンド投資情報センター」で紹介している業者での価格を言うと、その方は絶句して「私も大分安く買ったつもりだったが、おたくの2倍だった」と言い、ぜひ会員になるからそちらでダイヤを買わせて欲しいということになった。というわけで、私どもの第二海援隊「ダイヤモンド投資情報センター」を、ぜひ活用していただきたい。

経済トレンドレポート 2023年4月30日 —1— © 2023 株式会社第二海援隊

2023年4月30日号

経済トレンドレポート
浅井情報ネットワーク

▶国家破産警報 第34弾！

この小康状態（2023～24年）の後に巨大な衝撃がやってくる！！その時期は2025～2026年頃か！？

昨年と違い、今年は日本国債といい為替（ドル/円）といい、小康状態が続いている。しかし、これはあくまでも嵐の前の静けさといってよい。

政府の借金は着実に増えており、改善する気配は全くない。日銀が、国債の貸し出しをやめて海外勢が売りをしづらくしているから国債が売られないだけで、基本的構造に何の変化もない。マグマだけが静かに不気味に溜まって行く。この状況は短くて1年、長ければ2年は続くだろう。

次に危機がくるとすれば、それは為替が発端となることだろう。何かのキッカケでドル/円は160円を突破するはずだ。その時期は、2025年頃か。原因は台湾有事か、天災（南海トラフか首都直下型大地震、または富士山大噴火）となる可能性が高い。ドル/円は160円を超えた後、一気に200円または260円まで行くだろう。そうなれば、輸入インフレが国内を襲い、金利が上がらざるを得なくなる。事態がここまでくると日銀がいくら買っても国債は暴落せざるを得なくなり、一瞬で国家破産状況へ進むことになる。ただ、理論上は日銀は無制限に国債を買えるので、それを実行した場合、金利は上昇しないがインフレは止まらなくなり、円は紙キレとなる。いずれにせよ、この小康状態の間に最後の準備（米ドルの現金備蓄とダイヤモンドの買い増し）をするべきだ。

経済トレンドレポート 月30日 —1— © 株式会社第二海援隊

2023年5月30日号

「経済トレンドレポート」は情報収集の手始めとしてぜひお読みいただきたい。

最低でもこの経済トレンドレポートをご購読下さい。年間、約四万円で生き残るための情報を得られます。また、経済トレンドレポートの会員になられますと、当社主催の講演会など様々な割引・特典を受けられます。

■詳しいお問い合わせ先は、㈱第二海援隊　担当：島﨑

ＴＥＬ：〇三（三二九一）六一〇六　ＦＡＸ：〇三（三二九一）六九〇〇
Ｅメール：info@dainikaientai.co.jp
ホームページアドレス：http://www.dainikaientai.co.jp/

恐慌・国家破産への実践的な対策を伝授する会員制クラブ

◆「自分年金クラブ」「ロイヤル資産クラブ」「プラチナクラブ」

国家破産対策を本格的に実践したい方にぜひお勧めしたいのが、第二海援隊の一〇〇％子会社「株式会社日本インベストメント・リサーチ」（関東財務局長（金商）第九二六号）が運営する三つの会員制クラブ（**「自分年金クラブ」「ロイヤル資産クラブ」「プラチナクラブ」**）です。

まず、この三つのクラブについて簡単にご紹介しましょう。**「自分年金クラブ」**は資産一〇〇〇万円未満の方向け、**「ロイヤル資産クラブ」**は資産一〇〇〇万～数千万円程度の方向け、そして最高峰の**「プラチナクラブ」**は資産一億円以上の方向け（ご入会条件は資産五〇〇〇万円以上）で、それぞれの資産規模に応じた魅力的な海外ファンドの銘柄情報や、国内外の金融機関の活用法に関する情報を提供しています。

恐慌・国家破産は、なんと言っても海外ファンドや海外口座といった「海外の活用」が極めて有効な対策となります。特に海外ファンドについては、私たちは早くからその有効性に注目し、二〇年以上に亘って世界中の銘柄を調査してまいりました。本物の実力を持つ海外ファンドの中には、恐慌や国家破産といった有事に実力を発揮するのみならず、平時には資産運用としても魅力的なパフォーマンスを示すものがあります。こうした情報を厳選してお届けするのが、三つの会員制クラブの最大の特長です。

その一例をご紹介しましょう。三クラブ共通で情報提供する「ＡＴファンド」

は、年率五―七％程度の収益を安定的に挙げています。これは、たとえば年率七％なら三〇〇万円を預けると毎年約二〇万円の収益を複利で得られ、およそ一〇年で資産が二倍になる計算となります。しかもこのファンドは、二〇一四年の運用開始から一度もマイナスを計上したことがないという、極めて優秀な運用実績を残しています。日本国内の投資信託などではとても信じられない数字ですが、世界中を見渡せばこうした優れた銘柄はまだまだあるのです。

冒頭にご紹介した三つのクラブでは、「ATファンド」をはじめとしてより高い収益力が期待できる銘柄や、恐慌などの有事により強い力を期待できる銘柄など、様々な魅力を持ったファンド情報をお届けしています。なお、資産規模が大きいクラブほど、取り扱い銘柄数も多くなっております。

また、ファンドだけでなく金融機関選びも極めて重要です。単に有事にも耐え得る高い信頼性というだけでなく、各種手数料の優遇や有利な金利が設定されている、日本に居ながらにして海外の市場と取引ができるなど、金融機関も様々な特長を持っています。こうした中から、各クラブでは資産規模に適した、魅力的な条件を持つ国内外の金融機関に関する情報を提供し、またその活用方法についてもアドバイスしています。

その他、国内外の金融ルールや国内税制などに関する情報など資産防衛に有用な様々な情報を発信、会員の皆様の資産に関するご相談にもお応えしております。浅井隆が長年研究・実践して来た国家破産対策のノウハウを、ぜひあなたの大切な資産防衛にお役立て下さい。

■詳しいお問い合わせは「㈱日本インベストメント・リサーチ」

TEL：〇三（三二九一）七二九一　FAX：〇三（三二九一）七二九二

Eメール：info@nihoninvest.co.jp

他にも第二海援隊独自の〝特別情報〟をご提供

◆浅井隆のナマの声が聞ける講演会

浅井隆の講演会を開催いたします。二〇二四年上半期は名古屋・五月一〇日（金）、札幌・五月三一日（金）で予定しております。経済の最新情報をお伝えすると共に、生き残りの具体的な対策を詳しく、わかりやすく解説いたします。活字では伝えることのできない、肉声による貴重な情報にご期待下さい。

■詳しいお問い合わせ先は、㈱第二海援隊

ＴＥＬ：〇三（三二九一）六一〇六　ＦＡＸ：〇三（三二九一）六九〇〇

Ｅメール：info@dainikaientai.co.jp

◆「ダイヤモンド投資情報センター」

現物資産を持つことで資産保全を考える場合、小さくて軽いダイヤモンドは持ち運びも簡単で、大変有効な手段と言えます。近代画壇の巨匠・藤田嗣治は太平洋戦争後、混乱する世界を渡り歩く際、資産として持っていたダイヤモンドを絵の具のチューブに隠して持ち出し、渡航後の糧にしました。金（ゴールド）だけの資産防衛では不安という方は、ダイヤモンドを検討するのも一手でしょう。しかし、ダイヤモンドの場合、金とは違って公的な市場が存在せず、専門の鑑定士がダイヤモンドの品質をそれぞれ一点ずつ評価して値段が決まるため、売り買いは金（きん）に比べるとかなり難しいという事情があります。そのため、信頼できる専門家や取り扱い店と巡り合えるかが、ダイヤモンドでの資産保全の成否のわかれ目です。

そこで、信頼できるルートを確保し業者間価格の数割引という価格（デパートの宝飾品売り場の価格の三分の一程度）での購入が可能で、GIA（米国宝石学会）の鑑定書付きという海外に持ち運んでも適正価格での売却が可能な条件を備えたダイヤモンドの売買ができる情報を提供いたします。

ご関心がある方は「ダイヤモンド投資情報センター」にお問い合わせ下さい。

■お問い合わせ先：㈱第二海援隊　TEL：〇三（三二九一）六一〇六　担当：齋藤

◆第二海援隊ホームページ

第二海援隊では様々な情報をインターネット上でも提供しております。詳しくは「第二海援隊ホームページ」をご覧下さい。私ども第二海援隊グループは、皆様の大切な財産を経済変動や国家破産から守り殖やすためのあらゆる情報提供とお手伝いを全力で行ないます。

また、浅井隆によるコラム「天国と地獄」を連載中です。経済を中心に長期的な視野に立って浅井隆の海外をはじめ現地生取材の様子をレポートするなど、独自の視点からオリジナリティあふれる内容をお届けします。

■ホームページアドレス：http://www.dainikaientai.co.jp/

〈参考文献〉

【書籍】
『私が見た未来』（たつき諒著　朝日ソノラマ）
『私が見た未来　完全版』（たつき諒著　飛鳥新社）
『箱舟はいっぱい』（藤子・F・不二雄著　小学館）
『9・11と金融危機はなぜ起きたか⁉〈上〉〈下〉』（浅井隆著　第二海援隊）
『この国は95％の確率で破綻する！！』（浅井隆著　第二海援隊）

【拙著】
『2025年7の月に起きること』（神薙慧著　第二海援隊）

【その他】
『ロイヤル資産クラブレポート』（日本インベストメント・リサーチ）

【ホームページ】
『YouTube　ペンキ画家ショーゲン SHOGEN』
フリー百科事典『ウィキペディア』
『日本銀行』『国土地理院』『防災情報ナビ』『ＩＭＦ』『Ｙａｈｏｏ！』
『ナショナル・ジオグラフィック』『ＣＮＮ』『PRESIDENT Online』
『ビジネスインサイダー』『Ｅｘｐｒｅｓｓ』『グーグルアース』
『ＮＥＸＣＯ中日本』『ＮＨＫ』

〈著者略歴〉

神薙　慧　（かんなぎ　けい）

1968年生まれ。千葉県出身。明治大学経済学部卒。商社マンを経て、3年前に独立。特に日本の近代史、経済史に詳しい。日本の将来を予測する特別なシンクタンクを設立するのが夢。一男一女の父。趣味は登山と旅行。浅井隆がこの5、6年、育ててきた新進気鋭のジャーナリストで、非常に硬派の財政問題から地球の環境問題まで興味を示す。今回のこのストーリーに関しては、日本への警告のために浅井隆の勧めで一肌脱ぎ出版に至る。本書は前著『2025年7の月に起きること』（第二海援隊）に続く2冊目の自著となる。

〈監修者略歴〉

浅井　隆　（あさい　たかし）

経済ジャーナリスト。1954年東京都生まれ。早稲田大学政治経済学部中退後、毎日新聞社入社。1994年に独立。1996年、新しい形態の21世紀型情報商社「第二海援隊」を設立。主な著書に『大不況サバイバル読本』（徳間書店）『95年の衝撃』（総合法令出版）『勝ち組の経済学』（小学館文庫）『次にくる波』（PHP研究所）『国家破産ではなく国民破産だ！〈上〉〈下〉』『2025年の衝撃〈上〉〈下〉』『あなたの円が紙キレとなる日』（第二海援隊）など多数。

2025年7の月に起きること **2**

2024年4月23日　初刷発行

著　者　神薙　慧 著　　浅井　隆 監修

発行者　浅井　隆

発行所　株式会社　第二海援隊

〒101-0062

東京都千代田区神田駿河台2-5-1　住友不動産御茶ノ水ファーストビル8F

電話番号　03-3291-1821　　ＦＡＸ番号　03-3291-1820

印刷・製本／株式会社シナノ

　ISBN978-4-86335-242-1

Printed in Japan

第二海援隊発足にあたって

日本は今、重大な転換期にさしかかっています。にもかかわらず、私たちはこの極東の島国の上で独りよがりのパラダイムにどっぷり浸かって、まだ太平の世を謳歌しています。

しかし、世界はもう動き始めています。その意味で、現在の日本はあまりにも「幕末」に似ているのです。ただ、今の日本人には幕末の日本人と比べて、決定的に欠けているものがあります。それこそ、志と理念です。現在の日本は世界一の債権大国（＝金持ち国家）に登り詰めはしましたが、人間の志と資質という点では、貧弱な国家になりはててしまいました。それこそが、最大の危機といえるかもしれません。

そこで私は「二十一世紀の海援隊」の必要性を是非提唱したいのです。今日本に必要なのは、技術でも資本でもありません。志をもって大変革を遂げることのできる人物と、それを支える情報です。まさに、情報こそ〝力〟なのです。そこで私は本物の情報を発信するための「総合情報商社」および「出版社」こそ、今の日本に最も必要と気付き、自らそれを興そうと決心したのです。

しかし、私一人の力では微力です。是非皆様の力をお貸しいただき、二十一世紀の日本のために少しでも前進できますようご支援、ご協力をお願い申し上げる次第です。

浅井　隆